la cuisine
# marocaine

soline

**Édition originale :**

© 1998 Octopus Publishing Group Limited, Londres, Grande-Bretagne

**Direction de la publication** : Laura Bamford
**Direction éditoriale** : Nicola Hill
**Édition** : Sarah Ford et Anne Crane
**Direction artistique** : Keith Martin
**Maquette** : Geoff Borin
**Photographies** : David Loftus
**Économie domestique** : Fran Warde
**Stylisme** : Antonia Gaunt
**Index** : Hillary Bird
**Fabrication** : Bonnie Ashby

**Édition française :**

© 2002 Éditions Soline, Courbevoie, France

**Adaptation française** : Marie-Line Hillairet,
avec le concours de Nicolas Blot
**Coordination éditoriale** : Philippe Brunet
**Réalisation** : PHB Services d'édition

ISBN : 2-87677-446-1
Dépôt légal : janvier 2002

Imprimé en Chine

**Notes :**
1 cuillerée à soupe = une cuillère de 15 ml
1 cuillerée à café = une cuillère de 5 ml

Sauf indication contraire, utilisez des œufs de calibre moyen.

Sauf indication contraire, utilisez du lait entier.

Utilisez du poivre gris du moulin.

Sauf indication contraire, utilisez des herbes aromatiques fraîches.
Si vous n'en trouvez pas, remplacez-les par des herbes séchées,
mais réduisez les quantités de moitié.

Il est conseillé de préchauffer le four à la température indiquée.
Si vous utilisez un four à chaleur tournante, suivez les recommandations
du fabricant pour adapter les temps et température de cuisson.

saveurs traditionnelles d'afrique du nord

Hilaire Walden

*photographies de David Loftus*

# sommaire

# introduction

La cuisine marocaine est l'une des plus sensuelles au monde ; elle sollicite nos sens – l'odorat, la vue et le goût – d'une manière à nulle autre pareille. Les plats cuisinés ne sont pas les seuls à jouir de ce pouvoir de séduction ; nombre des ingrédients utilisés possèdent leur magie propre. Les souks sont des lieux fascinants, riches de fragrances, de couleurs et de sons évocateurs : l'argent étincelant du poisson frais, les coloris éclatants des monticules de légumes, les teintes chaleureuses des épices… À chaque coin de ruelle, des bouffées d'arômes alléchants dont celui du pain chaud, la senteur voluptueuse du safran, le parfum doux et entêtant de l'eau de rose et les odeurs contrastées de la menthe fraîche et de la viande grillée au feu de bois nous surprennent et nous régalent. Ces effluves sont l'essence même de la cuisine marocaine.

Les pays voisins, l'Algérie et la Tunisie, offrent des caractéristiques comparables, mais chacun présente un style personnel aisément identifiable. Tandis que la gastronomie marocaine exhale de riches senteurs, les mets algériens sont moins épicés ; les Tunisiens, quant à eux, font un usage généreux du piment et se distinguent par leur cuisine fortement relevée. Les contrées d'Afrique du Nord présentent des thèmes communs dans le domaine culinaire : tajines mijotés à petit feu, agneau, poulet, poisson et légumes grillés à la braise, pâtisseries riches et sucrées.

La cuisine d'Afrique du Nord est faite de contrastes nés de la diversité des paysages et des modes de vie qui existe entre les tribus nomades et les habitants des villes. Elle propose aussi bien des ragoûts cuits à petit feu, de la viande et des légumes grillés au feu de bois que des tourtes sophistiquées. Tous ces mets se côtoient avec bonheur pour composer un tableau des plus appétissants.

L'hospitalité marocaine est légendaire. La coutume veut que l'on offre à ses hôtes une abondance de victuailles. Les tables accueillent une profusion de plats, empilés les uns sur les autres, destinés à sustenter la famille, les amis et toute personne qui vient à passer, ainsi que les femmes, les enfants et les aides de cuisine. Les Marocains, dotés d'un appétit féroce, mangent jusqu'à satiété complète, un état appelé *shaban* ; un Marocain qui se respecte ne quitte pas la table en éprouvant une sensation de faim comme, paraît-il, il convient de le faire dans la bonne société occidentale.

Manger est une affaire sérieuse. Dans les maisons marocaines des classes moyennes et supérieures, les repas sont pris dans un environnement agréable et servis avec une élégance raffinée, bien que la consommation proprement dite de la nourriture risque d'apparaître, à nos yeux d'Occidentaux, moins distinguée. Les murs des salles à manger sont décorés de mosaïques et les sols recouverts de tapis tissés. Des banquettes basses sculptées à la main, envahies de coussins moelleux, au décor élaboré, encadrent la pièce. Une table basse ronde est garnie de plats en argent et en cuivre richement ornés. Vous ne verrez aucun couvert car ils sont exclus du repas. On se sert de morceaux de pain pour prélever les aliments dans le plat commun et les porter à la bouche ainsi que pour éponger la sauce, en utilisant le pouce, l'index et le majeur de la main droite (la main gauche étant considérée comme impure). Manger avec un seul doigt est un signe de haine, avec deux un signe de fierté, et avec trois un signe d'entente avec le Prophète Mahomet. En revanche, manger avec quatre ou cinq doigts est un signe de gloutonnerie.

Avant le début du repas, on procède à la cérémonie du lavage des mains. Sur un claquement de doigts de l'hôte, un domestique circule parmi les convives avec un bol d'eau parfumée et une aiguière en cuivre remplie d'eau. Il leur tend ensuite une serviette pour se sécher les mains. Un certain nombre de mets sont dressés sur la table et chacun se sert à même les plats.

# ingrédients

### Le couscous

Cet ingrédient sert à de multiples usages ; on peut le comparer au riz mais il présente, à mon sens, un intérêt beaucoup plus grand. Le couscous est fait avec de la semoule de blé dur qui a été moulue, mouillée et roulée dans la farine. La préparation du couscous était jadis un travail de longue haleine, mais le couscous que l'on trouve aujourd'hui dans le commerce est précuit ; il nécessite seulement d'être humidifié et chauffé à la vapeur. On mélange souvent au couscous du beurre clarifié, ou *smen,* pour mieux séparer les grains et l'enrichir.

Le couscous bien préparé doit être moelleux. Pour obtenir un tel résultat, mettez la semoule dans un saladier, arrosez-la de la quantité d'eau requise (plus il y a d'eau, plus la graine sera douce au palais) et laissez reposer 10-15 minutes, jusqu'à absorption complète de l'eau. Pétrissez avec délicatesse la semoule de vos doigts pour séparer les grains ; cette opération ne dure que 2-3 minutes (ajoutez du beurre ou de l'huile d'olive si vous le souhaitez). Transférez la graine de couscous dans une passoire (ou dans la partie supérieure d'un couscoussier, une casserole au fond percé de trous) tapissée d'une étamine et posez celle-ci sur un récipient rempli d'eau bouillante, en vous assurant que le fond de la passoire ne touche pas l'eau. Couvrez d'un torchon. Laissez cuire à la vapeur (10-15 minutes, selon la quantité), jusqu'à ce que le couscous soit chaud et que de petits espaces se forment entre les grains. À mi-cuisson, remuez la graine pour qu'elle cuise uniformément et ajoutez au besoin un peu de beurre ou d'huile. Pour servir, transférez le couscous dans un plat de service chaud et formez un monticule. Le couscous se déguste sous forme de boulettes que l'on roule entre les doigts – cette technique requiert une certaine pratique.

### Les eaux florales

Les eaux de rose et de fleur d'oranger ne parfument pas seulement les nombreux petits gâteaux et autres gourmandises, mais agrémentent les mets salés de leur arôme ; la *bastilla* (voir page 99) en est l'exemple le plus manifeste. En Tunisie, l'eau de fleur d'oranger entre dans la composition des boulettes de viande. Au Maroc, les eaux florales servent aussi à parfumer l'eau qui sert au lavage des mains avant le repas. De nombreuses maisons fabriquent elles-mêmes leurs eaux florales d'après une ancienne méthode de distillation à l'alambic.

### Les herbes

Trois herbes aromatiques, la coriandre, le persil plat et la menthe, fréquemment utilisées dans la cuisine marocaine, composent en quelque sorte « la saveur nationale ». Hormis celles-ci, les herbes ne sont pas un ingrédient majeur de la gastronomie nord-africaine.

### L'huile d'olive

La plupart des cuisinières marocaines usent avec prodigalité de l'huile d'olive, qui ne sert pas seulement à humecter les ingrédients voués à la friture, mais également à parfumer un plat, à lier les ingrédients et à épaissir certains mets comme les tajines. Pour plaire aux palais occidentaux, j'ai réduit la quantité d'huile d'olive de chaque recette.

### Les olives

Au Maroc et en Afrique du Nord, on récolte de nombreuses variétés d'olives. En visitant n'importe quel souk, vous pourrez admirer des étals entièrement composés d'olives de grosseurs, de couleurs et d'aspects divers. Chaque variété possède sa saveur propre qui donne un goût caractéristique au plat qu'elle agrémente.

Les olives vertes sont des olives non mûres alors que les noires sont parvenues à une totale maturité. En général, on trouve trois types d'olives dans la cuisine marocaine : les olives vertes cassées ou entières sont ajoutées aux salades et aux plats de poulet à base de citron et les olives presque mûres, dont la couleur s'est assombrie pour devenir violette ou lie-de-vin, agrémentent les tajines de poulet richement parfumés ainsi que les plats d'agneau et de poisson assez relevés.

Il nous est impossible de trouver toutes les variétés d'olives qui existent au Maghreb, mais l'on dispose aujourd'hui d'un large assortiment dans lequel vous dénicherez certainement une variété proche de celle qui est préconisée dans la recette. Libre à vous de remplacer une variété par une autre, mais vous obtiendrez un mets d'une saveur autre, en particulier si les olives sont de couleur complètement différente.

### La ouarka

Ce mot désigne la pâte fine, à l'aspect de feuille quasi transparente, utilisée pour confectionner la *bastilla* (voir page 99) et les *bricks* (voir page 21). La préparation de la *ouarka* demande une grande dextérité. Il faut tapoter de petites boules de pâte 18 ou 20 fois de suite en une série de cercles concentriques, en les faisant se chevaucher légèrement, sur une surface métallique bombée chauffée sur un *kanoun*, afin d'obtenir une large feuille de pâte extrêmement fine. Désormais, on préfère le plus souvent acheter de la pâte prête à l'emploi. Les feuilles de brick vendues dans tous les supermarchés ou la pâte utilisée pour les rouleaux de printemps chinois conviennent parfaitement.

### Le smen

C'est la version marocaine du *ghee* indien, un beurre clarifié conservé dans des pots, qui peut, dans le cas du *smen*, être assaisonné de fines herbes. Le goût de fromage particulier au *smen* se renforce avec le temps ; la couleur fonce également à mesure que le *smen* parvient à maturité. Le *smen* ajoute une saveur caractéristique aux plats tels que le poulet à la marocaine (voir page 88), les tajines et les couscous.

Si vous souhaitez cuisiner de manière authentique, il existe une recette de smen simple à réaliser. Faites fondre à feu doux 500 g de beurre doux détaillé en dés, puis augmentez la flamme et portez le beurre à ébullition. Laissez frémir 3-4 minutes puis retirez du feu ; le beurre se dépose sur un sédiment lacté. Plongez un morceau d'étamine dans l'eau bouillante, essorez et tapissez-en une passoire. Parsemez le linge d'une bonne pincée d'herbes de Provence séchées, puis tamisez le beurre clarifié ; procédez lentement, une cuillerée après l'autre. Passez le beurre une seconde fois dans un bocal. Couvrez et conservez au réfrigérateur pendant six semaines maximum.

### Les épices

Le cumin, la coriandre, le gingembre, le paprika, la noix muscade, la cannelle, la toute-épice, les clous de girofle, le safran et le curcuma sont les épices les plus fréquemment utilisées, combinées dans des proportions diverses pour produire une infinité étonnante d'arômes et d'effets. Préférez les filaments de safran pur à la poudre, qui a parfois été altérée. Une pincée suffit à parfumer un plat pour 4-6 personnes ; ainsi, les filaments reviennent moins cher qu'il n'y paraît de prime abord. Faites griller les filaments à feu très doux pour qu'ils exhalent leur saveur et écrasez-les avant de les ajouter à un plat, ils se dissoudront plus aisément.

Le *ras-el-hanout* signifie littéralement « la tête de l'épicerie ». C'est une composition savante et complexe comprenant au moins dix et parfois vingt ou vingt-cinq épices, rhizomes, écorces et fleurs en poudre. Chaque marchand concocte son propre mélange dont la formule reste secrète.

### Le pain

Le pain, considéré comme le don d'Allah le plus précieux, doit être traité avec respect. Selon la légende, une femme ayant profané un pain fut emprisonnée dans la lune. Quiconque voit du pain par terre doit le ramasser, l'embrasser, le bénir et le remiser dans un lieu propre. À l'heure du repas, l'hôte applique souvent la coutume ancestrale consistant à briser le pain en plusieurs morceaux pour en offrir un à chacun des convives.

# les cuisines marocaines

Les cuisines marocaines sont austères et sommairement équipées, y compris celles des foyers citadins. La main-d'œuvre étant bon marché, bien des tâches sont encore exécutées à la main par les femmes et non par des appareils ménagers. Les balances sont rares car le pesage s'effectue à l'œil et à la main. Il y a également peu de fours, même dans les cuisines des restaurants ; les plats nécessitant une cuisson au four sont cuits au four communal.

Les chaises sont rares et il peut ne pas y avoir de table du tout ; les cuisinières se tiennent accroupies pour mélanger et cuisiner. On trouve parfois un ou deux tabourets ou peut-être un vieux tapis plié qui sert de siège.

Une cuisine traditionnelle comprend un assortiment de tajines *(touagen slaoui)*, un plat en cuivre profond *(ga tajine)* pour poser le *tajine slaoui* durant le service et protéger la table du chaud, ainsi qu'une corbeille ronde peu profonde en osier *(tbeq)* pour rouler la graine de couscous. Un grand plat en terre cuite *(kesria)* sert à remiser le couscous.

On trouve également un mortier et un pilon en cuivre *(mehraz)*, indispensables pour écraser les herbes et concocter les mélanges d'épices, une louche en bois *(mghorfa)* sculptée dans un morceau d'olivier ou d'oranger et une *rashasha* ventrue équipée d'un long bec verseur servant à disperser les eaux florales (rose et fleur d'oranger). Une jarre en terre cuite vernissée *(genura)*, très grosse par rapport à sa hauteur, sert à stocker l'eau, tandis que des pots en terre cuite, vernissés à l'intérieur, renferment des salaisons, de la farine, du blé et des légumineuses.

La cuisine se fait sur un petit brasier rond alimenté de charbon de bois *(kanoun)* placé au centre de la pièce. Il est spécialement conçu pour recevoir la base circulaire des tajines entre ses trois griffes. La chaleur peu élevée, régulière, fournie par la braise est idéale pour la cuisson des tajines et leur donne une saveur inégalée. Toutefois, ce réchaud à charbon de bois peut produire une chaleur plus vive pour cuire de succulentes brochettes ou autres aliments à griller. On utilise des *ghazel* en métal pour faire griller les brochettes et une *chouaya* ou *chebqua* à charnières pour cuire le poisson sur le *kanoun*. Autre ustensile essentiel, le *gsaa* est un grand plat creux en bois utilisé quotidiennement pour la préparation de la pâte à pain. L'orthographe des plats et des ustensiles de cuisine varie d'une région à l'autre.

## Le tajine slaoui

C'est un plat rond en terre cuite vernissée, peu profond, et muni d'un couvercle conique assez haut évoquant un chapeau chinois, destiné à récupérer la vapeur émanant du ragoût qui mijote en dessous et à l'empêcher ainsi de sécher au cours de cette cuisson prolongée. Les tajines existent en diverses dimensions ; les plus petits, destinés à la cuisine individuelle, sont fréquemment utilisés dans les restaurants, alors que les plus grands, mesurant parfois jusqu'à 60 cm de diamètre, servent à la cuisine familiale et collective. Quelle que soit sa taille, le tajine possède toujours un *kanoun* sur lequel il s'encastre parfaitement. Les tajines ordinaires sont enduits d'un vernis transparent ; d'autres, plus sophistiqués, sont ornés de motifs richement colorés. Si vous utilisez un tajine sur une cuisinière à gaz ou une plaque électrique, il est préférable de placer un diffuseur entre la flamme et le plat pour protéger ce dernier. Lisez cependant le mode d'emploi de votre cuisinière, en particulier si vous possédez une plaque vitrocéramique ou à induction. Il est possible de se procurer des tajines en fonte dans les magasins spécialisés en matériel culinaire. On peut également remplacer le *tajine slaoui* par une cocotte munie d'un couvercle.

## Le couscoussier

Le couscoussier est le plat utilisé pour cuisiner le couscous. En terre cuite vernissée, en cuivre doublé d'étain ou en aluminium, c'est une casserole double composée d'un récipient inférieur dans lequel cuit la viande ou les légumes et d'un récipient supérieur à fond perforé qui reçoit la semoule. La vapeur parfumée du ragoût de viande et de légumes se diffuse par les trous et chauffe la graine. On peut remplacer le couscoussier par une grande casserole surmontée d'une passoire tapissée d'une étamine ou d'un torchon.

# soupes, amuse-gueule

# et entrées

Les soupes marocaines, généralement épicées, constituent souvent le plat unique du souper. La plus connue est la harira (voir page 14), qui se déguste au coucher du soleil pour rompre la journée de jeûne pendant le ramadan. Un repas marocain débute par un assortiment de plats qui sont servis simultanément et restent souvent sur la table pendant tout le repas. Certains sont appelés « salades » mais diffèrent de ce que nous désignons sous ce nom car ce sont en fait des purées consommées sous forme de sauces, par exemple la salade de courge rôtie (voir page 29). La plupart des mets présentés dans ce chapitre se servent en amuse-gueule, soit à titre individuel, soit comme élément d'une sélection de plusieurs plats du même type.

# soupe
# de poisson

3 cuill. à soupe d'huile d'olive

2 oignons hachés

2 branches de céleri émincées

4 gousses d'ail écrasées

1 piment rouge frais épépiné
et haché

½ cuill. à café de cumin en poudre

1 bâtonnet de cannelle

½ cuill. à café de coriandre

2 grosses pommes de terre
hachées

1,5 l de fumet de poisson,
de coquillages ou de crustacés

3 cuill. à soupe de jus de citron

2 kg de poisson, coquillages ou
crustacés, ou un mélange des trois

4 tomates bien mûres, pelées,
épépinées si vous le souhaitez,
hachées

1 grosse botte d'aneth, de persil
et de coriandre fraîche hachée

sel et poivre

*Comme dans beaucoup de régions où l'homme tire son gagne-pain de la mer, la plus grande part du produit de la pêche effectuée sur les côtes marocaines et nord-africaines est utilisée dans la cuisine, les morceaux les moins nobles servant à faire de la soupe. Pour cette soupe de poisson, vous pouvez sélectionner n'importe quel assortiment de poissons, de coquillages ou de crustacés, à l'exception des poissons gras comme le maquereau et la sardine. Les parures (tête, arêtes et coquilles) entrent également dans la composition du fumet.*

**1** Chauffez l'huile dans une grande sauteuse. Ajoutez l'oignon et le céleri et faites revenir à feu doux ; incorporez l'ail et le piment en fin de cuisson. Ajoutez ensuite le cumin, la cannelle et la coriandre puis remuez le tout pendant 1 minute. Ajoutez les pommes de terre et poursuivez la cuisson 2 minutes, en continuant de remuer.

**2** Ajoutez le fumet de poisson ou l'eau ainsi que le jus de citron. Chauffez le liquide jusqu'à ce qu'il frémisse, sans couvrir, pendant 20 minutes environ ; les pommes de terre doivent être fondantes.

**3** Ajoutez le poisson, les coquillages ou les crustacés, les tomates, les herbes ; salez et poivrez puis laissez mijoter jusqu'à ce que le poisson soit moelleux.

**Pour 6-8 personnes**

# harira

2 cuillerées à soupe d'huile d'olive

250 g d'agneau maigre
détaillé en dés

1 oignon haché

125 g de pois chiches
mis à tremper la veille et égouttés

1,5 l d'eau

125 g de lentilles rouges

400 g de tomates pelées,
épépinées et hachées

1 cuillerée à soupe de pâte
de tomates séchées

1 cuillerée à café de cannelle
en poudre

1 poivron rouge, épépiné et haché

50 g de riz blanc long

1 poignée de coriandre fraîche
hachée

sel et poivre

*Au coucher du soleil, les jours de ramadan, la rupture du jeûne est marquée par un coup de canon; c'est alors l'heure de déguster la harira, une soupe fumante, généreusement colorée et subtilement épicée.*

**1** Chauffez l'huile dans une grande sauteuse, ajoutez l'agneau et faites-le rissoler en remuant. Incorporez l'oignon et poursuivez la cuisson à feu doux jusqu'à ce qu'il soit fondant.

**2** Ajoutez les pois chiches et l'eau, puis portez à ébullition. Réduisez la flamme, couvrez et laissez frémir pendant 1 heure, jusqu'à ce que les pois chiches soient fondants.

**3** Ajoutez les lentilles, les tomates, la pâte de tomates séchées, la cannelle et le poivron; laissez mijoter une quinzaine de minutes.

**4** Ajoutez le riz et poursuivez la cuisson une quinzaine de minutes, jusqu'à ce que le riz et les lentilles soient moelleux. Ajoutez la coriandre, salez et poivrez, puis servez.

**Pour 6 personnes**

2 cuillerées à soupe d'huile d'olive

200 g d'agneau maigre émincé

1 gros oignon haché

3 gousses d'ail écrasées

1 piment rouge frais, épépiné
et finement haché

1 grosse cuillerée à café de graines
de cumin grillées et écrasées

1 grosse cuillerée à soupe
de graines de coriandre grillées
et écrasées

1 grosse cuillerée à café
de toute-épice en poudre

1 kg de tomates pelées en boîte,
hachées

2 cuillerées à soupe de purée
de tomates

1 l de bouillon de bœuf
ou de légumes

125 g de pois chiches, mis à tremper la veille et égouttés

2 cuillerées à soupe de persil haché

1 cuillerée à soupe de menthe
hachée

50 g de semoule pour couscous

2 cuillerées à café de sucre

sel et poivre

quartiers de citron, pour servir

# soupe d'agneau aux pois chiches et au couscous

*Faites griller les graines de coriandre et de cumin à sec, dans une sauteuse à fond épais, chauffée au préalable, jusqu'à ce qu'elles exhalent leur parfum. Versez-les dans un moulin à épices pour les moudre, ou bien écrasez-les au pilon dans un mortier. Sinon, mettez-les dans un saladier et écrasez-les du bout d'un rouleau à pâtisserie.*

**1** Chauffez l'huile dans une sauteuse à fond épais. Ajoutez l'agneau et faites-le rissoler à feu vif. Avec une écumoire, transférez l'agneau sur du papier absorbant pour l'égoutter. Mettez l'oignon dans la sauteuse et faites-le dorer ; ajoutez l'ail et le piment lorsque l'oignon est presque cuit.

**2** Ajoutez les graines de cumin et de coriandre ainsi que la toute-épice et remuez pendant 1 minute.

**3** Remettez l'agneau dans la sauteuse puis ajoutez les tomates, la purée de tomates, le bouillon et les pois chiches. Remuez, couvrez et laissez mijoter très doucement jusqu'à ce que les pois chiches soient fondants.

**4** Incorporez le persil, la menthe et le couscous à cette soupe, couvrez et retirez du feu. Ajoutez le sucre, salez et poivrez à volonté. Servez la soupe accompagnée de quartiers de citron.

**Pour 6 personnes**

# soupe
# de pois chiches

*Au lieu de servir cette soupe avec ses morceaux, vous pouvez la réduire en purée et arroser chaque portion d'un filet d'huile d'olive.*

**1** Chauffez l'huile dans une sauteuse. Ajoutez l'oignon et l'ail et faites-les revenir 5-7 minutes ; lorsqu'ils sont dorés, ajoutez le paprika, la coriandre et le cumin. Remuez pendant 2 minutes.

**2** Ajoutez le thym, le piment séché, les pois chiches et le bouillon. Portez à ébullition, couvrez et laissez mijoter la soupe une quarantaine de minutes.

**3** Ajoutez les pommes de terre, les carottes, le céleri, les tomates et la coriandre. Couvrez et poursuivez la cuisson à feu doux pendant 30-40 minutes, jusqu'à ce que les légumes et les pois chiches soient fondants.

**4** Salez et poivrez à volonté, et servez parsemé de coriandre.

**Pour 4-6 personnes**

**4 cuillerées à soupe d'huile d'olive**

**1 oignon haché**

**3 gousses d'ail écrasées**

**1 cuillerée à soupe de paprika**

**1 cuillerée à soupe de coriandre en poudre**

**2 cuillerées à café de cumin en poudre**

**2 brins de thym**

**une pincée de paillettes de piments séchés**

**250 g de pois chiches, mis à tremper la veille et égouttés**

**1,5 l de bouillon de légumes**

**1 grosse pomme de terre hachée**

**2 carottes émincées**

**2 branches de céleri émincées**

**3 tomates hachées**

**3 cuillerées à soupe de coriandre fraîche hachée**

**sel et poivre**

**coriandre fraîche, pour garnir**

# soupe
# de pois cassés

**1** Mettez les pois cassés, l'oignon, la moitié de l'ail, la menthe et l'huile d'olive dans une grande sauteuse. Ajoutez suffisamment d'eau pour couvrir et portez à ébullition. Réduisez la flamme, couvrez et laissez frémir environ 35 minutes, jusqu'à ce que les pois cassés soient fondants. Retirez le couvercle en fin de cuisson si nécessaire pour permettre l'évaporation du liquide, car les pois cassés doivent être à peine recouverts d'eau.

**2** Pendant ce temps, mettez le reste d'ail, les oignons nouveaux, la coriandre en poudre, le piment séché, les feuilles de coriandre, la menthe et le beurre dans un bol et écrasez le tout jusqu'à obtention d'une pommade. Couvrez et réservez au réfrigérateur.

**3** Transférez les deux tiers des pois cassés et leur jus de cuisson dans un robot ménager ou un mixer ; réduisez-les en purée puis transférez cette purée dans la sauteuse. Laissez cuire quelques minutes à feu doux pour obtenir la consistance requise, salez et poivrez. Servez la soupe dans des écuelles chaudes avec une noix de beurre épicé.

**Pour 6 personnes**

425 g de pois cassés

1 gros oignon haché

4 gousses d'ail écrasées

3 brins de menthe

3 cuill. à soupe d'huile d'olive

2 oignons nouveaux finement hachés

1 cuill. à café de coriandre en poudre

une petite pincée de paillettes de piments séchés

une petite poignée de feuilles de coriandre hachées

2 cuill. à soupe de menthe hachée

50 g de beurre doux

sel et poivre

# pois chiches aux épices

400 g de pois chiches en boîte,
égouttés et rincés

2 cuillerées à soupe d'huile d'olive

2 grosses gousses d'ail écrasées

paprika et cumin moulus,
pour saupoudrer

sel et poivre

*Les Marocains consomment des en-cas depuis des générations et sont passés maîtres dans l'art de produire une myriade d'amuse-gueule appétissants. Les fèves sèches frites sont une spécialité très prisée, mais j'ai choisi une recette à base de pois chiches. La cuisson au four étant plus appréciée dans nos contrées, j'ai légèrement modifié la méthode traditionnelle.*

**1** Étalez les pois chiches sur une plaque de four. Mélangez l'huile et l'ail et arrosez les pois chiches de cette huile aillée. Remuez bien.

**2** Glissez la plaque dans un four préchauffé à 200 °C (th. 6-7) et faites cuire les pois chiches une quinzaine de minutes en les remuant de temps en temps.

**3** Transférez les pois chiches sur du papier absorbant, puis assaisonnez-les de paprika, de cumin, de sel et de poivre tant qu'ils sont chauds. Consommez immédiatement ou conservez-les au frais dans un récipient hermétique, pendant 2 semaines au maximum.

**Pour 2-4 personnes**

# bouchées d'aubergines au fromage

1 grosse aubergine de 400 g environ, détaillée en rondelles de 5 mm d'épaisseur

125 g de ricotta

15 g de parmesan fraîchement râpé

½ gousse d'ail écrasée

2 œufs battus (séparément)

2 cuillerées à soupe d'herbes mélangées hachées – persil, menthe, aneth et ciboulette – et un peu plus pour garnir

huile d'olive

50 g de chapelure

sel et poivre

*Les effluves de cuisson de ces amuse-gueule m'ont entraînée vers un étal de la médina de Marrakech où un jeune garçon de seize ans préparait ces petits «sandwiches». Il les faisait frire dans une poêle noire remplie d'huile bouillante et sortait toujours au bon moment ceux qui étaient à point, avec l'assurance d'un expert.*

1 Mettez les rondelles d'aubergines dans une passoire, parsemez de sel et laissez reposer pendant 30-60 minutes. Rincez et séchez-les bien.

2 Écrasez la ricotta, le parmesan et l'ail avec un des œufs battus, puis incorporez les herbes ; salez et poivrez.

3 Badigeonnez d'huile les rondelles d'aubergine, disposez-les sous un gril de four préchauffé et faites-les dorer des deux côtés. Transférez-les sur du papier absorbant.

4 Coupez en deux chaque rondelle. Tartinez une des moitiés de fromage assaisonné puis recouvrez de l'autre moitié en pressant légèrement.

5 Mettez la chapelure dans un plat peu profond et le second œuf battu dans un bol. Plongez les bouchées d'aubergine dans l'œuf battu puis enrobez-les de chapelure.

6 Faites chauffer l'huile et placez-y les bouchées 1 ½ minute de chaque côté afin qu'elles soient dorées et croustillantes. Égouttez-les sur du papier absorbant et servez-les chaudes, garnies d'herbes finement hachées.

**Pour 4 personnes**

# bricks

*Les bricks sont des beignets tunisiens à base de ouarka. Les pieds-noirs les ont fait connaître dans toute l'Afrique du Nord. Traditionnellement, les bricks sont frits dans l'huile et se servent chauds, sans quoi ils deviennent gras et lourds. On peut également les cuire au four.*

environ 250 g de feuilles de brick, décongelées si vous les achetez surgelées

huile d'olive, pour badigeonner

graines de sésame

**1** Pour préparer la farce, hachez finement les olives et les filets d'anchois puis mélangez-les avec les tomates, les amandes, le persil, la coriandre, les œufs et le jus de citron ; salez et poivrez.

**2** Détaillez les feuilles de brick en bandes de 10 x 25 cm. Travaillez avec 3-4 bandes à la fois et couvrez le reste de film fraîcheur.

**3** Huilez les bandes de pâte et déposez une cuillerée à dessert de farce dans le coin supérieur droit de chacune d'elles. Repliez le coin vers le bas pour former un triangle. Continuez à plier le triangle sur toute la longueur de la bande. Disposez le brick sur une plaque de four et badigeonnez-le d'huile. Continuez ainsi jusqu'à épuisement de la farce.

**4** Parsemez les bricks de sésame et faites-les cuire pendant une vingtaine de minutes dans un four préchauffé à 190 °C (th. 6), jusqu'à ce qu'ils soient croustillants et dorés. Servez-les fumants ou tièdes.

**Pour 24 bricks environ**

Farce :

50 g d'olives dénoyautées

3 filets d'anchois

3 tomates séchées dans l'huile, égouttées et hachées

2 cuillerées à soupe d'amandes hachées

2 cuillerées à soupe de persil et de coriandre hachés

3 œufs mollets, hachés

jus de citron

sel et poivre

# farcis
# aux merguez

*C'est une variante des briouattes, beignets marocains de forme triangulaire à base
de ouarka. Les farces sont multiples et variées, de la cervelle émincée au riz.
Le plus souvent, il s'agit d'un mélange à base d'agneau (utilisé pour préparer la kefta,
la farce de la bastilla), de thon et d'œuf. Ces farcis sont généralement frits mais peuvent être
également cuits au four.*

**1** Mettez les épinards dans une grande sauteuse, couvrez et faites-les cuire jusqu'à ce
qu'ils commencent à se flétrir. Transférez-les dans une passoire et égouttez-les le mieux
possible. Hachez et laissez refroidir.

**2** Mettez les merguez dans une poêle à fond épais et faites-les cuire à sec, sans matière
grasse. Transférez-les sur du papier absorbant pour les égoutter et laissez refroidir.

**3** Mélangez les épinards, les merguez et le fromage. Salez et poivrez à votre convenance.

**4** Détaillez les feuilles de brick en carrés de 8 cm de côté et couvrez-les de film étirable
pour les empêcher de sécher. Huilez un carré et couvrez-le d'un autre carré.
Badigeonnez-le d'huile et disposez un peu de mélange à la merguez en forme de cigare
près de l'un des bords. Repliez les bords adjacents puis enroulez la pâte afin d'enfermer
la farce. Disposez le farci, ouverture dessous, sur une plaque de four préalablement
graissée. Huilez le dessus. Répétez l'opération avec les carrés de pâte et la farce
restants.

**5** Faites cuire les farcis 10-12 minutes dans un four préchauffé à 200 °C (th. 6), jusqu'à ce
qu'ils soient dorés. Servez chaud.

**Pour 24 farcis environ**

250 g d'épinards frais, lavés mais
non séchés

100 g de merguez (voir page 25)
coupées en dés de 5 mm

100 g de fromage à pâte molle
allégé

environ 150 g de feuilles de brick

huile d'olive, pour dorer

sel et poivre

# farcis
# aux moules
# et à la tomate

*Le plat de moules le plus insolite que j'aie mangé au Maroc était à base de moules séchées au soleil, mélangées à des olives et des piments, et figurait parmi un abondant assortiment d'entrées. Ces farcis frits dans l'huile sont étonnamment alléchants – la pâte fine et croustillante se brise à la première bouchée pour libérer la saveur succulente des moules à l'intérieur. Les tomates ajoutent leur note juteuse à la texture et au goût de l'ensemble.*

**1** Portez à ébullition 3 cm d'eau salée dans une grande sauteuse. Ajoutez les moules, couvrez et laissez cuire 2-3 minutes, jusqu'à ce que les coquilles s'ouvrent, en agitant fréquemment la sauteuse. Transférez les moules dans une passoire et jetez celles qui sont encore fermées. Retirez les moules de leur coquille.

**2** Dans une sauteuse, chauffez l'huile à feu doux, ajoutez les tomates et laissez mijoter jusqu'à ce qu'elles soient fondantes. Égouttez-les dans une passoire ; réservez le jus et les tomates. Versez le jus dans la sauteuse, ajoutez l'ail et le jus de citron et faites bouillir jusqu'à obtention d'une consistance sirupeuse. Laissez refroidir puis ajoutez les tomates, les moules et le persil ; salez et poivrez.

**3** Posez les feuilles de brick l'une sur l'autre après les avoir huilées. Divisez-les en douze carrés de 10 cm de côté. Mouillez les bords. Déposez 2 moules avec un peu de sauce sur chaque carré puis repliez la pâte sur les moules et pressez les bords ensemble pour sceller le farci.

**4** Graissez une plaque de four et déposez les farcis dessus. Badigeonnez le dessus de beurre fondu ou d'œuf battu et faites-les cuire 10-12 minutes au four préchauffé à 200 °C (th. 6). Transférez délicatement les farcis sur une grille. Servez-les chauds ou à température ambiante.

**Pour 12 farcis**

24 moules nettoyées et ébarbées

2 cuillerées à soupe d'huile d'olive

3 tomates, pelées, épépinées et coupées en huit

1 petite gousse d'ail écrasée

1 ½ cuillerée à soupe de jus de citron

1 ½ cuillerée à soupe de persil finement haché

environ 2 feuilles de brick

beurre fondu ou œuf battu pour dorer

sel et poivre

# kefta

*Au Maroc, la viande pour la kefta – dont on fait les boulettes – est finement hachée à la main avec un lourd couteau en acier, puis pétrie avec des épices et des herbes aromatiques jusqu'à obtention d'un mélange semblable à une pâte. La kefta traditionnelle renferme environ dix pour cent de matière grasse qui sert à lier les ingrédients entre eux et lui donne un certain moelleux durant la cuisson. Aujourd'hui, les gens préférant une cuisine moins grasse, on obtient une kefta plus sèche et plus friable. Une viande fraîchement émincée donne de meilleurs résultats.*

**1** Mélangez tous les ingrédients à la main, salez et poivrez puis pétrissez pour obtenir une pâte homogène ; cette opération prend une quinzaine de minutes. Couvrez et réfrigérez pendant 15 minutes.

**2** Avec vos doigts, façonnez cette pâte en rouleaux de 2 cm d'épaisseur. Faites-les cuire cinq minutes de chaque côté, au gril ou au barbecue sur une grille préalablement huilée.

**3** Servez la kefta saupoudrée d'un mélange sel-cumin.

**Pour 4 personnes**

650 g d'agneau désossé, fraîchement émincé

1 oignon râpé

2 gousses d'ail écrasées

1 cuillerée à soupe de paprika

1 cuill. à café de cumin en poudre

1 pincée de cannelle en poudre

1 pincée de piment de Cayenne

une botte de coriandre hachée

des feuilles de menthe hachées

1 œuf battu

sel et poivre

sel et cumin en poudre, pour servir

# merguez

*Les merguez sont les saucisses d'Afrique du Nord. Elles sont minces, rougies au paprika et sentent bon les épices. Elles doivent être bien épicées ; pour tester si l'assaisonnement vous convient avant de remplir les boyaux, prélevez un peu de mélange et faites-le frire avant de le goûter. Les merguez se mangent froides ou chaudes.*

**1** Dans un saladier, passez la viande, le gras et l'ail au hachoir. Ajoutez la cannelle, le clou de girofle, le paprika, le piment de Cayenne et le thym ; salez et poivrez. Pétrissez le tout avec vos mains en ajoutant un peu d'eau pour mouiller le mélange. Couvrez et réfrigérez pendant quelques heures.

**2** En utilisant une poche à douille munie d'une grosse douille ordinaire, remplissez délicatement les boyaux en les nouant tous les 5 cm. Faites sécher les merguez en les suspendant 24 heures dans un endroit sec, chaud et aéré.

**3** Faites frire ou griller les merguez en les retournant de temps à autre jusqu'à ce qu'elles soient dorées.

**Pour 4-6 personnes**

400 g de bœuf détaillé en dés

125 g de gras de bœuf en dés

1-2 gousses d'ail écrasées

1 cuillerée à café de cannelle

1 cuillerée à café de clous de girofle en poudre

1 cuillerée à café de paprika

1 cuillerée à café de piment de Cayenne

1 cuillerée à café de thym séché émietté

2-4 cuillerées à soupe d'eau glacée

boyaux à saucisses

sel et poivre

# pickles de légumes minute

*Servez ces légumes marinés à l'apéritif ou en accompagnement d'autres entrées.*

**1** Parsemez les légumes de sel et laissez reposer 2-4 heures. Rincez et essuyez sur du papier absorbant.

**2** Mélangez le poivre, le sucre et le vinaigre ou le jus de citron jusqu'à dissolution du sucre. Assaisonnez de poivre du moulin. Incorporez la vinaigrette aux légumes, couvrez et réfrigérez toute la nuit. Ajoutez la coriandre et servez froid.

**Pour 4-6 personnes**

125 g de carottes nouvelles

125 g de petits radis

4 branches de céleri détaillées en morceaux de 4 cm

1 concombre coupé en deux, épépiné et grossièrement émincé

1 cuillerée à soupe de poivre rose

4 cuill. à soupe de sucre semoule

4 cuillerées à soupe de vinaigre de vin blanc ou de jus de citron

1 botte de coriandre hachée

sel et poivre

# œufs sur lit de légumes

5 cuillerées à soupe d'huile d'olive

1 oignon doux émincé

4 gousses d'ail écrasées

4 poivrons rouges épépinés
et émincés

1 courgette émincée

5 tomates bien mûres émincées

2 cuillerées à soupe de persil haché

une grosse pincée de paprika

une grosse pincée de paillettes
de piments séchés

4 œufs

sel et poivre


Pour garnir :

cumin en poudre

paprika

4 brins de coriandre

*Ce riche et éclatant mélange aillé à dominante rouge de poivrons, de tomates, d'oignon et de courgette forme un lit délicieusement parfumé sur lequel on fait cuire les œufs. Ceux-ci doivent être juste à point de façon que le jaune s'écoule sur les légumes en créant un joyeux contraste.*

**1** Chauffez l'huile dans une grande sauteuse. Ajoutez l'oignon rouge et faites-le dorer. Ajoutez l'ail, les poivrons rouges, la courgette et les tomates et laissez mijoter le tout 15-20 minutes, en remuant de temps en temps, jusqu'à ce que les légumes soient fondants.

**2** Incorporez le persil, le paprika et les paillettes de piment séché, salez et poivrez. Poursuivez la cuisson à feu doux pendant 5 minutes.

**3** Transférez les légumes dans un grand plat de four. Formez quatre creux dans ce mélange et cassez un œuf dans chaque creux. Glissez le plat dans un four préchauffé à 160 °C (th. 5) et faites cuire les œufs une dizaine de minutes.

**4** Pour servir, saupoudrez les œufs de cumin et de paprika et garnissez de brins de coriandre.

**Pour 4 personnes**

# bissara

250 g de fèves séchées, mises
à tremper la veille et égouttées

3 gousses d'ail, écrasées

1 cuillerée à café de graines
de cumin

huile d'olive vierge

sel

Pour servir :

za'atar (thym sauvage) ou mélange
de thym, de marjolaine et d'origan
séchés

pain

petite coupe remplie de mélange
de cumin en poudre, de piment
de Cayenne et de sel

*La bissara est à l'Afrique du Nord ce que l'hoummous est au Moyen-Orient ; ces deux préparations ont presque le même goût. Servez la bissara avec du pain chaud.*

**1** Mettez les fèves séchées, l'ail et le cumin dans une sauteuse. Recouvrez d'eau froide et portez à ébullition. Couvrez et laissez mijoter 1 heure ou 2, selon la fraîcheur et la qualité des fèves ; elles doivent être fondantes.

**2** Égouttez les fèves en réservant le jus de cuisson. Réduisez-les en purée dans un robot ménager ou un mixer, en ajoutant suffisamment de jus et d'huile pour obtenir une purée onctueuse. Sinon, écrasez-les dans un tamis. Salez.

**3** Servez cette purée chaude nappée d'un filet d'huile d'olive et parsemée de za'atar ou d'un mélange d'herbes séchées. Accompagnez de pain chaud et d'une petite coupe remplie d'un mélange de cumin en poudre, de piment de Cayenne et de sel.

**Pour 4-6 personnes**

# purée de fèves à la menthe

*Cette purée simple au goût rafraîchissant sera excellente si vous utilisez de jeunes fèves fraîches ; vous pouvez aussi les acheter surgelées. Servez ce plat accompagné de crudités.*

**1** Faites cuire les fèves dans l'eau bouillante salée jusqu'à ce qu'elles soient fondantes. Égouttez en réservant le liquide de cuisson. Rincez les fèves à l'eau froide.

**2** Mettez les fèves dans un robot ménager ou un mixer. Ajoutez la menthe, l'huile d'olive et le jus de citron puis réduisez le tout en purée. Ajoutez le liquide de cuisson nécessaire pour obtenir la consistance souhaitée. Salez, poivrez et agrémentez d'un supplément de jus de citron et d'huile d'olive si besoin.

**3** Transférez la purée dans un petit plat de service. Servez-la à température ambiante, garnie de brins de menthe.

**Pour 4 personnes**

500 g de fèves fraîches, décortiquées

feuilles de 6-8 brins de menthe

3-4 cuillerées à soupe
d'huile d'olive

environ 2 cuillerées à soupe de jus
de citron

sel et poivre

petits brins de menthe, pour garnir

# salade de courge

*C'est une salade en purée. La courge est cuite au four avec de l'ail et du thym ; elle exhale ainsi son parfum et libère son eau, avant d'être mixée et assaisonnée d'une vinaigrette épicée. On obtient une salade à la saveur et l'aspect ardents. Il est préférable d'utiliser de la courge musquée car son goût et sa texture sont meilleurs ; on en trouve presque toute l'année.*

1 kg de courge

6 gousses d'ail écrasées, non pelées

2 cuillerées à soupe d'huile d'olive

1 cuillerée à soupe de thym haché

2 œufs durs coupés en quatre

sel et poivre

feuilles de coriandre, pour garnir

Vinaigrette :

2 gousses d'ail

5 cuillerées à soupe d'huile d'olive

2 cuill. à soupe de vinaigre de vin

1 ½ cuill. à café de graines de carvi

4 cuill. à café d'harissa (voir p. 80)

**1** Coupez la courge en 8 morceaux et disposez-les avec l'ail dans un plat à gratin. Arrosez d'huile et parsemez de thym, salez et poivrez. Remuez et faites cuire au four préchauffé à 180 °C (th. 6) pendant 1 heure ; la courge doit être fondante et légèrement grillée. Laissez refroidir.

**2** Pour préparer la vinaigrette, écrasez l'ail avec une pincée de sel puis incorporez l'huile goutte à goutte comme pour la mayonnaise. Ajoutez le vinaigre, le carvi et l'harissa.

**3** Pelez et écrasez l'ail rôti. Retirez la peau de la courge. Hachez la chair puis écrasez-la avec l'ail et le jus de cuisson.

**4** Incorporez la vinaigrette à la purée de courge. Disposez les œufs sur le dessus et garnissez de feuilles de coriandre.

**Pour 4-6 personnes**

# caviar d'aubergines

*Les aubergines cuites au four puis réduites en purée sont délicieuses et onctueuses. Une fois que l'on y goûte, il est difficile de résister à la tentation. Le seul inconvénient est que l'aubergine absorbe l'huile comme une éponge, c'est pourquoi j'ai diminué les quantités dans cette recette. Les aubergines se marient bien avec l'huile d'olive ; privilégiez une huile de premier choix.*

2 aubergines (environ 500-600 g au total)

2 gousses d'ail émincées

½ cuillerée à café de cumin en poudre

1 cuillerée à café de paprika

environ 5 cl d'huile d'olive vierge extra

jus d'un citron

sel et poivre

menthe ou coriandre, pour garnir

**1** Incisez les aubergines en plusieurs endroits et insérez les morceaux d'ail à l'intérieur des fentes. Faites-les cuire 30-40 minutes au four préchauffé à 220 °C (th. 7) ; la peau doit être un peu noircie. Retirez du four et laissez refroidir.

**2** Coupez les aubergines en deux et retirez leur chair. Pressez pour extraire le jus. Mettez la chair, l'ail, le cumin et le paprika dans un robot ménager et mixez le tout en versant l'huile en filet afin d'obtenir une purée onctueuse. Ajoutez le jus de citron, le sel et le poivre.

**3** Transférez la purée dans une coupe. Décorez d'une spirale avec le dos d'une cuiller. Juste avant de servir, arrosez de quelques gouttes d'huile d'olive et garnissez de menthe ou de coriandre.

**Pour 4 personnes**

# marinade
# de courgettes

750 g de courgettes, coupées
en rondelles de ½ cm d'épaisseur

huile d'olive

feuilles d'une botte de basilic

3 cuillerées à soupe de feuilles
de menthe

2 petites gousses d'ail finement
hachées

2 cuillerées à soupe de jus
de citron

sel et poivre

*La marinade est une très ancienne méthode de conservation des aliments. Aujourd'hui, c'est un des nombreux modes de préparation des plats, en particulier de légumes et de poisson. Ici, l'alliance des courgettes, du citron et des fines herbes donne un mets léger et rafraîchissant.*

**1** Disposez les rondelles de courgettes dans une passoire et salez. Laissez reposer une trentaine de minutes. Rincez et séchez sur du papier absorbant.

**2** Chauffez l'huile qui couvre le fond d'une grande sauteuse, ajoutez les rondelles de courgette et faites-les dorer 3 minutes de chaque côté. Procédez en plusieurs fois. Avec une écumoire, égouttez-les sur du papier absorbant.

**3** Disposez les courgettes dans un plat, glissez çà et là des feuilles de basilic et de menthe et parsemez d'ail, de jus de citron et de sel. Couvrez et laissez reposer au réfrigérateur, au moins 2 heures et de préférence une nuit entière. Sortez la marinade 30 minutes avant de servir.

**Pour 4 personnes**

# marinade d'olives

500 g d'olives vertes ou noires

1 piment rouge frais, épépiné
et haché

4 gousses d'ail écrasées

1 brin d'origan

1 brin de thym

1 cuillerée à café de romarin
finement haché

2 feuilles de laurier

1 cuillerée à café de graines
de fenouil écrasées

1 cuillerée à café de graines
de cumin grillées et écrasées

huile d'olive

*Ces vieux arbres noueux, gris-vert, aux branches tortueuses, jouent un rôle majeur dans la culture et la cuisine nord-africaine. Les olives marinées avec des herbes et des épices ont une saveur originale ; en outre, stockées dans un endroit frais et sombre, elles se conservent pendant plusieurs mois.*

**1** Incisez chaque olive sur toute sa longueur en allant jusqu'au noyau. Mettez les olives dans un saladier puis ajoutez le piment, l'ail, l'origan, le thym, le romarin, le laurier, les graines de fenouil et de cumin.

**2** Transférez ce mélange dans un bocal à couvercle vissant et couvrez d'huile d'olive. Fermez le bocal et laissez reposer les olives au moins 3 jours avant usage. Agitez le bocal de temps à autre.

**Pour 4 personnes**

# navets marinés

50 g de gros sel

50 cl d'eau

25 cl de vinaigre blanc

1 kg de jeunes navets, partagés
en deux

1 petite betterave crue, pelée
et émincée

2-4 gousses d'ail (facultatif)

quelques feuilles de céleri

*Les jeunes navets des luxuriantes régions côtières du Maroc sont parfaits pour les marinades. Ces jolis légumes rosés ont un piquant délicat et un léger croustillant que j'apprécie beaucoup. Les navets marinés se conservent 2-3 mois au réfrigérateur.*

**1** À feu doux, portez à ébullition l'eau additionnée de sel, en remuant. Retirez du feu, ajoutez le vinaigre et laissez refroidir.

**2** Disposez dans un bocal stérilisé les navets, les rondelles de betterave, l'ail et les feuilles de céleri. Couvrez les légumes d'eau salée refroidie. Glissez la lame d'un couteau ou une brochette à l'intérieur du bocal, à divers endroits, pour éliminer les bulles d'air éventuelles. Placez une petite soucoupe à l'intérieur du bocal, sur les légumes, avec un poids dessus si nécessaire. Fermez le bocal et installez-le sur un rebord de fenêtre ensoleillé, ou dans un endroit chaud, pendant 2 semaines environ.

**Pour 4 personnes**

# brochettes de crevettes

20 crevettes roses crues, pelées et décortiquées, queues intactes

3 cuillerées à soupe de jus de citron

2 cuillerées à soupe d'huile d'olive vierge

2 gousses d'ail, finement écrasées

3 cuillerées à soupe de menthe hachée

sel et poivre

quartiers de citron, pour servir

**1** Mettez les crevettes dans un saladier en verre ou en terre cuite. Mélangez le jus de citron, l'huile d'olive, l'ail et la menthe, salez et poivrez, puis arrosez les crevettes de ce mélange. Remuez bien et laissez reposer une trentaine de minutes.

**2** Enfilez les crevettes sur les brochettes et faites-les griller sous un gril préchauffé, 3 minutes de chaque côté.

**3** Servez sur un lit de salade, si vous le souhaitez, avec des quartiers de citron.

**Pour 4 personnes**

# brochettes d'agneau

1 kg d'agneau dans l'épaule, détaillé en dés de 5 cm

quartiers de citrons, pour servir

Marinade :

3 cuillerées à soupe d'huile d'olive

2 cuillerées à soupe de jus de citron

1 gousse d'ail écrasée

1 cuillerée à soupe de paprika

1 cuillerée à café de cumin en poudre

1 cuillerée à café de coriandre

1 cuillerée à café d'harissa (voir page 80)

*Des brochettes qui fleurent bon la cuisson à la braise, servies fumantes, constituent pour moi l'aspect le plus délectable de la cuisine marocaine.*

**1** Mettez l'agneau dans un saladier. Préparez la marinade en mélangeant tous les ingrédients et versez-la sur la viande. Remuez bien, couvrez et laissez mariner 2 heures à température ambiante, ou une nuit entière au réfrigérateur. Si vous optez pour la seconde solution, sortez l'agneau 1 heure avant de le faire cuire.

**2** Retirez l'agneau de la marinade et essuyez-le sur du papier absorbant. Enfilez la viande sur 6 longues brochettes. Faites-les cuire au barbecue ou sous un gril préchauffé, pendant 10-15 minutes, en les tournant de temps en temps et en les arrosant de marinade jusqu'à ce qu'elles soient grillées à l'extérieur et encore rosées à l'intérieur.

**3** Servez sur un lit de salade, avec des quartiers de citron.

**Pour 6 personnes**

# poissons et fruits de mer

Les marchés au poisson du Maroc sont un régal pour les sens et un spectacle extraordinaire. Ils sont prodigieusement variés car les pêcheurs ont accès aux richesses conjuguées de la Méditerranée et de l'Atlantique, ainsi qu'aux eaux des rivières et des fleuves qui dévalent des montagnes vers la mer. Parmi les produits de la mer les plus communs, on compte le maquereau, le rouget, le bar, les sardines, la daurade, les anchois, la baudroie, la sole, le merlan, la raie, le saint-pierre, les crevettes, le crabe, le homard, les moules et les palourdes ; quant à l'eau douce, elle héberge du brochet ou de la carpe, de l'alose et de la truite.

# truite farcie aux amandes et aux herbes

*On utilise souvent le couscous pour farcir le poisson, la viande ou la volaille. Il donne une farce plus légère que la mie de pain ou la chapelure, c'est pourquoi je l'introduis de plus en plus dans mes recettes. Ici, les amandes apportent un intéressant contraste de texture.*

**1** Chauffez 2 cuillerées à soupe d'huile dans une sauteuse, ajoutez l'oignon et faites-le dorer ; ajoutez l'ail en fin de cuisson. Incorporez le couscous, le fumet de poisson ou le bouillon de légumes, le persil et la menthe. Portez à ébullition puis retirez du feu. Laissez reposer 10-15 minutes jusqu'à ce que le liquide soit complètement absorbé.

**2** Salez et poivrez les truites. Répartissez la farce au couscous à l'intérieur de chacune d'elles. Disposez les poissons dans un plat de four préalablement graissé. Mélangez le reste d'huile avec les amandes et nappez les truites de cette sauce. Glissez-les 15-20 minutes dans un four préchauffé à 200 °C (th. 6-7).

**3** Garnissez de quartiers de citron et de brins de menthe et servez avec du pain chaud.

**Pour 4 personnes**

4 cuillerées à soupe d'huile d'olive

1 petit oignon finement haché

2 gousses d'ail écrasées

125 g de semoule pour couscous

30 cl de fumet de poisson
ou de bouillon de légumes

1 cuillerée à soupe de persil haché

1 cuillerée à soupe de menthe
hachée

4 truites de 400 g chacune environ,
vidées, étêtées et débarrassées
de leurs arêtes

50 g d'amandes effilées

sel et poivre

Pour garnir :

quartiers de citron

brins de menthe

# thon grillé aux oignons

*Je n'avais pas vraiment faim avant d'entrer dans la cuisine de Fatima, mais le merveilleux arôme des épices et des oignons en train de mijoter m'a mis l'eau à la bouche. L'hospitalité marocaine s'est révélée à la hauteur de sa réputation et j'ai accepté l'invitation à déjeuner sans me perdre dans des hésitations de convenance. Ce fut un pur délice.*

**1** Assaisonnez le thon de piment moulu… avec parcimonie. Couvrez et remisez dans un endroit frais pendant 1 heure.

**2** Pendant ce temps, chauffez une sauteuse ou un plat à feu. Ajoutez la coriandre, le cumin, le gingembre et assaisonnez de sel et de piment de Cayenne, puis faites frire le tout à sec une trentaine de secondes. Ajoutez l'huile, chauffez pendant 30 secondes puis incorporez l'ail et l'oignon. Couvrez et laissez cuire à feu doux 45 minutes environ, jusqu'à ce que les oignons soient dorés et fondants.

**3** Ajoutez le bouillon et disposez le poisson sur les oignons, laissez frémir puis poursuivez la cuisson à feu doux ; testez le poisson à la fourchette, s'il est cuit sa chair doit s'émietter.

**4** Transférez le poisson dans un plat de service chaud avec une écumoire. Faites bouillir le mélange aux oignons dans la sauteuse jusqu'à évaporation de la majorité du liquide. Nappez le poisson de cet accompagnement et servez.

**Pour 4 personnes**

4 darnes de thon de 200 g chacune environ

piment en poudre, à volonté

1 cuillerée à soupe de coriandre en poudre

2 cuillerées à soupe de cumin en poudre

2 cuillerées à soupe de rhizome de gingembre frais pelé et râpé

4 cuillerées à soupe d'huile d'olive

1 kg de gros oignons émincés

4 gousses d'ail écrasées

10 cl de fumet de poisson

sel et piment de Cayenne

# thon aux poivrons rouges

*Dans cette recette, les filets d'anchois contribuent à corser le goût de la sauce.*

**1** Poivrez les darnes de thon. Chauffez l'huile dans une grande sauteuse. Ajoutez le thon et faites-le dorer à feu vif 2 minutes de chaque côté. Retirez les darnes à l'aide d'une écumoire et déposez-les sur du papier absorbant. Réservez au chaud. Mettez l'ail et le poivron rouge dans la sauteuse et faites-les revenir 1-2 minutes, jusqu'à ce que l'ail commence à dorer. Incorporez les anchois pour les faire fondre puis ajoutez le fumet de poisson. Portez à ébullition puis laissez frémir 8-10 minutes.

**2** Remettez le thon dans la sauteuse et faites-le cuire 4 minutes environ en l'arrosant fréquemment de sauce, jusqu'à ce que sa cuisson vous convienne. Ajoutez les olives, le jus de citron et le persil ; servez immédiatement.

**Pour 4 personnes**

4 darnes de thon

3 cuillerées à soupe d'huile d'olive

1 gousse d'ail écrasée

1 poivron rouge, épépiné et finement haché

2 filets d'anchois hachés

15 cl de fumet de poisson

125 g d'olives noires, dénoyautées et hachées

jus d'un demi-citron

3 cuillerées à soupe de persil haché

poivre

# kefta au poisson

*La cuisine marocaine est riche, comme j'ai pu l'expérimenter à plusieurs reprises à mes dépens. Même si j'essaie d'éviter les mets gras lorsque je suis au Maroc, je dois néanmoins me résoudre à consommer plus de matière grasse qu'à l'ordinaire pour goûter la cuisine authentique du pays. Cette kefta est un excellent antidote car elle est légère. Vous pouvez la préparer à l'avance et la conserver au réfrigérateur en la couvrant de film étirable.*

**1** Émincez le poisson. Mettez-le dans un saladier et mélangez-le avec la coriandre fraîche et en poudre, la menthe, le cumin, le curcuma, le beurre, le sel et le poivre.

**2** Façonnez la pâte ainsi obtenue en une vingtaine de boulettes ovales. Enfilez celles-ci sur des brochettes et réfrigérez-les une trentaine de minutes.

**3** Faites cuire les brochettes de kefta pendant 3-4 minutes sous un gril très chaud, en les retournant de temps à autre.

**Pour 4 personnes**

250 g de cabillaud dépouillé

2 cuillerées à café de coriandre fraîche hachée

1 cuillerée à café de coriandre en poudre

2 cuillerées à café de menthe hachée

1 cuillerée à café de cumin en poudre

½ cuillerée à café de curcuma en poudre

2 cuill. à soupe de beurre fondu

sel et poivre

# carpe aux raisins secs et amandes

1 Salez et poivrez le poisson et mettez-le dans un plat en terre cuite.

2 Chauffez 1 cuillerée à soupe d'huile dans une sauteuse à fond épais, ajoutez les amandes et faites-les dorer à feu doux.

3 Ajoutez le reste de l'huile dans la sauteuse puis incorporez les raisins secs et le mélange d'épices. Chauffez le tout 1 minute puis versez cette préparation sur le poisson. Couvrez et faites cuire pendant 25-30 minutes au four préchauffé à 200 °C (th. 6), jusqu'à ce que la chair du poisson s'émiette quand vous la testez à la fourchette.

4 Servez le poisson arrosé de son jus de cuisson. Garnissez de persil et accompagnez de quartiers d'orange dont vous recueillerez le jus pour parfumer le poisson.

**Pour 4 personnes**

4 darnes de carpe, de 4 cm d'épaisseur environ

2 cuillerées à soupe d'huile d'olive

50 g d'amandes effilées

50 g de gros raisins secs

2 cuillerées à café de mélange de cannelle, de cumin, de toute-épice et de macis en poudre

sel et poivre

brins de persil, pour garnir

quartiers d'orange, pour servir

# baudroie à la menthe

*Safi est une ville côtière connue pour ses spécialités de fruits de mer. Cette recette m'a été donnée par un jeune cuisinier de la ville qui a apporté sa touche personnelle au plat familial traditionnellement préparé par sa mère.*

1 Badigeonnez les filets de baudroie d'huile d'olive, parsemez-les de sel et frottez-les de piment. Couvrez et laissez reposer 1 heure.

2 Faites cuire le poisson 4 minutes de chaque côté sous un gril préchauffé ; si le poisson est cuit, la chair doit s'émietter quand on la pique à la fourchette.

3 Pendant ce temps, mettez 6 cuillerées à soupe d'huile, les tomates, l'ail, l'échalote, la menthe et le persil dans une petite sauteuse et chauffez jusqu'à ce que l'ail commence à grésiller.

4 Fouettez ensemble le jus de citron vert, le vinaigre et l'huile restante puis versez lentement l'huile d'olive chaude, en continuant à battre. Assaisonnez de sel et de piment de Cayenne. Nappez le poisson de sauce et servez.

**Pour 4 personnes**

4 filets de baudroie de 200 g chacun environ

8 cuillerées à soupe d'huile d'olive vierge extra

1 piment rouge frais, partagé en deux dans la longueur

4 tomates, épépinées et hachées

2 gousses d'ail écrasées

1 échalote finement hachée

3 cuillerées à soupe de menthe hachée

1 cuillerée à soupe de persil haché

1 cuillerée à soupe de jus de citron vert

2 cuillerées à soupe de vinaigre de vin rouge

sel et piment de Cayenne

# tajine de poisson et de fenouil

*Ce plat, originaire de Safi, se prépare avec du poisson blanc à chair ferme, comme le cabillaud, l'églefin ou la baudroie.*

**1** Chauffez 2 cuillerées à soupe d'huile dans une sauteuse, ajoutez l'oignon, l'ail, les morceaux et les graines de fenouil et faites revenir le tout jusqu'à ce que l'oignon soit fondant. Incorporez les tomates et poursuivez la cuisson 2 minutes environ. Ajoutez la pâte de tomates et laissez frémir à feu doux, sans couvrir, pendant une quinzaine de minutes, en remuant de temps en temps. Salez et poivrez à votre convenance puis réservez.

**2** Chauffez le reste d'huile dans une sauteuse. Ajoutez le poisson et faites-le dorer rapidement sur les deux faces. Transférez-le sur du papier absorbant pour l'égoutter.

**3** Hors de la flamme, disposez le persil au fond d'un plat à feu en terre cuite, puis disposez le poisson sur ce lit de verdure. Arrosez de jus de citron et parsemez de zeste. Versez la sauce dessus et chauffez jusqu'au point de frémissement. Laissez cuire le poisson à feu très doux, sans couvrir, pendant 10-15 minutes, jusqu'à ce que la chair s'émiette lorsque vous y plantez la lame du couteau. Servez garni de persil haché.

**Pour 4 personnes**

4 cuillerées à soupe d'huile d'olive vierge

1 oignon haché

3 gousses d'ail

½ bulbe de fenouil émincé

½ cuillerée à café de graines de fenouil

500 g de tomates bien mûres, hachées

1-2 cuillerées à café de pâte de tomates séchées

4 darnes de cabillaud ou d'autre poisson, de 200 g chacune environ

½ botte de persil haché

jus et zeste râpé d'un citron

sel et poivre

persil haché, pour garnir

# tajine de poisson à la chermoula

*Quand je vois un plat cuisiné avec de la chermoula, je suis toujours tentée de le goûter ; chaque recette offre une infinité de variantes subtiles, étonnantes, et toujours délicieuses.*

**1** Mettez les filets de poisson dans un plat non métallique. Mélangez huile d'olive, ail, cumin en poudre, paprika, piment vert, coriandre hachée, jus de citron, sel et nappez le poisson de cette sauce. Couvrez et réservez dans un endroit frais pendant 3-4 heures en remuant de temps en temps.

**2** Faites cuire le poisson sous un gril préchauffé environ 4 minutes de chaque côté, en l'arrosant de sauce, jusqu'à ce qu'il soit à point ; la chair doit s'émietter.

**3** Servez chaud avec les quartiers de citron.

**Pour 4 personnes**

800 g de filets de mulet, de daurade ou de baudroie

3 cuillerées à soupe d'huile d'olive

3 gousses d'ail écrasées

1 ½ cuillerée à café de cumin en poudre

1 cuillerée à café de paprika

1 piment vert frais finement haché

1 poignée de feuilles de coriandre finement hachées

4 cuillerées à soupe de jus de citron

sel

quartiers de citrons, pour servir

# daurade
# au four

1 cuillerée à soupe d'amandes
effilées, légèrement grillées
et hachées

1 cuillerée à café de paprika

1 cuillerée à café de cannelle
en poudre

2 cuillerées à café de cumin
en poudre

une pincée de filaments de safran
écrasés

½ cuillerée à café de piment
de Cayenne

2 gousses d'ail, écrasées

2 cuill. à café de sucre semoule

daurade de 800 g environ, préparée

3 cuill. à soupe de jus de citron

4 cuillerées à soupe d'huile d'olive

sel et poivre

coriandre hachée, pour garnir

1 Mélangez les amandes, le paprika, la cannelle, le cumin, le safran, le piment
de Cayenne, l'ail et le sucre, salez et poivrez. Incisez les deux flancs de la daurade
en trois endroits. Pommadez le poisson du mélange d'épices en pénétrant bien
dans les fentes. Arrosez de jus de citron et d'huile d'olive. Couvrez et laissez mariner
dans un endroit frais pendant 1 heure.

2 Mettez le poisson et sa marinade dans un plat à gratin en terre cuite, couvrez de
papier d'aluminium et faites-le cuire au four préchauffé à 180 °C pendant 20-25 minutes,
selon l'épaisseur du poisson. Vérifiez la cuisson en piquant la chair à la fourchette, celle-
ci doit s'émietter.

3 Servez sur un lit de coriandre fraîche et de rondelles de tomates.

**Pour 2 personnes**

# daurade en croûte avec salade de tomate à la menthe

*Le couscous forme une enveloppe croustillante qui permet à la chair de la daurade de conserver son moelleux et son succulent parfum.*

**1** Préparez la salade. Mélangez l'ail, le jus de citron vert, le vinaigre et la moitié de l'huile d'olive. Salez et poivrez, puis ajoutez les tomates ainsi que la moitié de la menthe. Remuez délicatement. Couvrez et réfrigérez.

**2** Mélangez le couscous, les amandes, l'oignon, le reste de menthe, beaucoup de poivre et un peu de sel.

**3** Enrobez chaque poisson d'œuf battu puis de couscous aromatisé.

**4** Chauffez le reste de l'huile d'olive dans une grande sauteuse antiadhésive. Ajoutez le poisson et faites-le dorer environ 7 minutes de chaque côté jusqu'à ce que la chair s'émiette quand on la pique de la lame d'un couteau. Servez immédiatement avec la salade de tomates à la menthe.

**Pour 4 personnes**

**50 g de couscous fin**

**20 g d'amandes blanchies, finement hachées**

**1 oignon nouveau, émincé**

**4 petites daurades (de 250 g chacune environ), nettoyées et écaillées**

**1 gros œuf battu**

**sel et poivre**

Salade de tomates à la menthe :

**1 grosse gousse d'ail écrasée**

**1 cuill. à café de jus de citron vert**

**1 cuill. à café de vinaigre blanc**

**5 cuill. à soupe d'huile d'olive**

**2 grosses tomates bien mûres, épépinées et hachées**

**30 g de menthe hachée**

# daurade braisée aux légumes et épices

*La cuisine marocaine utilise couramment ce mode de cuisson du poisson sur un lit de légumes pour le parfumer, conserver son moelleux et éviter qu'il n'adhère au plat.*

**1** Chauffez l'huile dans une grande cocotte, ajoutez l'oignon, l'ail, les carottes et le fenouil et faites dorer le tout à feu doux. Incorporez la coriandre, le cumin, les clous de girofle et le safran, poursuivez la cuisson 2 minutes. Disposez le poisson sur le mélange de légumes et arrosez de fumet de poisson. Salez et poivrez, puis chauffez jusqu'à la limite de l'ébullition.

**2** Couvrez la cocotte et transférez-la dans un four préchauffé à 160 °C (th. 5) ; faites cuire le poisson 25-30 minutes.

**3** Goûtez le jus de cuisson ; si vous le préférez plus concentré, transférez le poisson et les légumes dans un plat de service chaud et portez le liquide à ébullition afin qu'il réduise.

**Pour 2-3 personnes**

2 cuillerées à soupe d'huile d'olive

1 gros oignon haché

2 gousses d'ail écrasées

2 jeunes carottes finement hachées

1 bulbe de fenouil finement haché

1 cuillerée à café de coriandre en poudre

½ cuillerée à café de cumin en poudre

½ cuillerée à café de clou de girofle en poudre

une petite pincée de filaments de safran écrasés

daurade de 1 kg, préparée

30 cl de fumet de poisson

sel et poivre

# daurade marinée aux épices et poivrons

*Le poisson préparé selon cette recette séjourne dans une odorante marinade après la cuisson. Avant l'arrivée des réfrigérateurs, on utilisait cette méthode pour prolonger son temps de conservation.*

**1** Préparez la marinade : chauffez l'huile, ajoutez les oignons et faites-les revenir 2 minutes. Ajoutez les graines de cumin et le piment séché ; remuez pendant 45 secondes. Ajoutez les poivrons rouges et faites-les revenir en remuant de temps en temps. Incorporez le safran et son jus, le zeste et le jus d'orange ainsi que le jus de citron. Laissez bouillonner quelques minutes, ajoutez du sucre, salez et poivrez. Laissez refroidir.

**2** Enrobez le poisson de farine assaisonnée, puis faites-le frire dans l'huile 2-3 minutes de chaque côté, jusqu'à ce qu'il soit doré et cuit à point.

**3** Avec une spatule, transférez le poisson dans un plat non métallique. Laissez refroidir puis arrosez de marinade. Couvrez et réfrigérez le poisson pendant 4-12 heures en le retournant délicatement 2-3 fois.

**4** Sortez le poisson du réfrigérateur 30 minutes avant de le servir garni de coriandre ou de persil.

**Pour 4 personnes en plat principal et pour 6-8 personnes en entrée**

6-8 filets de daurade, écaillés, mais avec leur peau

3 cuillerées à soupe de farine

3 cuillerées à soupe d'huile d'olive vierge

persil ou coriandre haché, pour garnir

Marinade :

3 cuillerées à soupe d'huile d'olive vierge

2 oignons rouges, émincés

1 ½ cuillerée à café de graines de cumin légèrement écrasées

½ cuillerée à café de paillettes de piments rouges séchés

2 poivrons rouges, épépinés et émincés

une grosse pincée de filaments de safran, écrasés et mis à tremper dans 3 cuillerées à soupe d'eau

zeste finement ciselé et jus d'une orange

2-3 cuillerées à soupe de jus de citron

sucre semoule, à volonté

sel et poivre

# crevettes et sauce tomate pimentée

*Pour cette recette, les crevettes doivent être fermes, fraîches et goûteuses ; n'utilisez pas de crevettes surgelées qui libèrent de l'eau à la cuisson, car vous serez déçu du résultat.*

**1** Chauffez l'huile dans une sauteuse à fond épais. Ajoutez les oignons, l'ail, le piment et le zeste de citron et faites revenir le tout 1-2 minutes. Ajoutez les tomates et le fumet de poisson, portez à ébullition puis laissez frémir environ 5 minutes.

**2** Ajoutez les crevettes, salez et poivrez, et poursuivez la cuisson 4 minutes environ, en remuant de temps en temps, jusqu'à ce que les crevettes changent de couleur. Parsemez d'herbes et servez.

**Pour 4 personnes**

2 cuillerées à soupe d'huile d'olive

2 oignons rouges finement hachés

3 gousses d'ail écrasées

1 piment rouge frais, épépiné et haché

2 lanières de zeste de citron

2 grosses tomates bien mûres, épépinées et hachées

15 cl de fumet de poisson

500 g de grosses crevettes roses épluchées

2 cuillerées à soupe de persil et menthe hachés

sel et poivre

# bar aux épices

*La recette traditionnelle préconise d'utiliser un poisson entier et de le cuire directement sur le gaz, mais j'ai pris la liberté de l'adapter. On peut faire cuire les filets dans des plats – ou papillotes – individuels, chacun agrémenté d'un quart du mélange d'épices.*

**1** Mettez le poisson dans un plat à gratin en terre cuite.

**2** Mélangez l'huile d'olive, l'ail, la coriandre fraîche, le persil, le paprika, le cumin, la coriandre en poudre, le jus de citron, le sel et le poivre. Arrosez le poisson de cette sauce. Retournez les filets, couvrez et réservez dans un endroit frais pendant 1 heure.

**3** Retournez les filets et couvrez. Faites-les cuire au four préchauffé à 220 °C (th. 7) pendant 8-12 minutes, jusqu'à ce que la chair s'émiette si vous la piquez avec une fourchette.

**Pour 4 personnes**

4 filets de bar (loup) de 200 g chacun

2 cuill. à soupe d'huile d'olive vierge

2 gousses d'ail écrasées

2 cuill. à soupe de coriandre hachée

2 cuillerées à soupe de persil haché

2 cuillerées à café de paprika

½ cuillerée à café de cumin

½ cuillerée à café de coriandre en poudre

jus d'un demi-citron

sel et poivre

# rouget et chermoula aux amandes

*La chermoula est un mélange spécifiquement marocain de coriandre, d'ail, de piments et d'épices employé de diverses manières pour rehausser la saveur et le caractère d'un mets. Elle est souvent utilisée en marinade, avant ou après la cuisson, pour le poisson, la viande grillée ou cuite au four, la volaille et les légumes. Il est également possible de cuire les aliments dans une croûte de chermoula. Chaque cuisinière concocte sa propre combinaison d'ingrédients car les proportions et les compositions varient selon la recette.*

**1** Mettez la coriandre, la menthe, les amandes, l'ail et le piment dans un robot ménager ou un mixer. Sans cesser de mixer, versez lentement l'huile pour obtenir une pâte onctueuse. Assaisonnez de sel, de poivre et de jus de citron.

**2** À la pointe du couteau, incisez profondément en deux endroits les deux faces du poisson. Enduisez les poissons de chermoula sans oublier les fentes. Couvrez et laissez reposer pendant 1 heure au frais.

**3** Faites cuire les rougets sous un gril préchauffé, 4-5 minutes de chaque côté, en veillant à ce qu'ils ne brûlent pas.

**Pour 4 personnes**

50 g de coriandre fraîche

une grosse poignée de menthe, grossièrement hachée

50 g d'amandes

2 grosses gousses d'ail

une pincée de paillettes de piments séchés

environ 15 cl d'huile d'olive vierge

4 rougets de 300 g chacun

jus de citron

sel et poivre

# chermoula au citron confit

*Voilà une autre version de la chermoula ; celle-ci est parfumée au zeste de citron confit, un ingrédient typiquement nord-africain.*

**1** Mettez tous les ingrédients dans un saladier en verre ou en terre cuite et remuez bien. Laissez reposer dans un endroit frais, mais non au réfrigérateur, pendant 2 heures.

1 citron confit (voir page 102), le zeste seulement, finement haché

2 grosses gousses d'ail écrasées

une pincée de flocons de piment séché

une botte de persil haché

½ cuillerée à café de paprika

une pincée de filaments de safran

5 cuillerées à soupe d'huile d'olive

2 cuill. à soupe de jus de citron

1-2 cuillerées à soupe d'eau

# barbecue
# de sardines
# marinées

*Les sardines sont excellentes cuites à la braise. L'odeur diablement appétissante de ces petits poissons ventrus en train de griller sur un barbecue est l'un des souvenirs les plus durables de mes soirées passées sur la côte marocaine. Si les sardines mesurent moins de 12 cm, ne les videz pas.*

**1** Pour préparer la marinade, mélangez tous les ingrédients dans un saladier.

**2** Mettez les sardines dans un plat en verre ou en terre cuite. Arrosez de marinade, retournez les sardines pour bien les en enrober, couvrez et laissez reposer pendant 1 heure dans un endroit frais.

**3** Retirez les sardines de la marinade et faites-les griller sur un barbecue préchauffé, 3-4 minutes de chaque côté.

**Pour 6 personnes**

**1 kg de sardines**

Marinade :

**1 ½ cuillerée à soupe de coriandre fraîche hachée**

**1 ½ cuillerée à soupe de persil haché**

**3 gousses d'ail écrasées**

**1 cuillerée à café de cumin en poudre**

**1 cuillerée à café de coriandre en poudre**

**2 cuillerées à café de paprika**

**une pincée de filaments de safran écrasés (facultatif)**

**une pincée de paillettes de piments séchés**

**zeste finement râpé et jus d'un citron**

**3 cuillerées à soupe d'huile d'olive vierge**

**sel**

# sardines
# à la tunisienne

*Les Tunisiens font les plus belles pêches de la Méditerranée, en quantité et en variété ; il n'est donc pas surprenant qu'ils soient passés maîtres dans l'art d'accommoder le poisson.*

**1** Écaillez les sardines. Coupez les nageoires au ciseau et incisez le ventre. Retirez les boyaux. Lavez les poissons, essuyez-les avec du papier absorbant et disposez-les dans un plat à gratin en verre ou en terre cuite.

**2** Pour préparer la marinade, mettez l'ail, les graines de coriandre, le piment et une pincée de sel dans un mortier et écrasez le tout au pilon. Ajoutez le zeste et le jus de citron vert, puis incorporez progressivement l'huile. Versez cette sauce sur les sardines (veillez à bien les enrober), couvrez et laissez-les mariner 1 heure environ, en les tournant 2-3 fois.

**3** Mélangez tous les ingrédients de la sauce tomate dans un robot ménager ou un mixer. Placez les sardines sur un barbecue ou sous un gril chaud et faites-les griller 2-3 minutes de chaque côté, en les badigeonnant de marinade.

**4** Servez les sardines avec la sauce et garnissez de brins de coriandre si vous le souhaitez.

**Pour 4 personnes**

**Variante** : Sardines au citron et à la coriandre
Mélangez 6 cuillerées à soupe d'huile d'olive, 3 cuillerées à soupe de jus de citron, 2 cuillerées à soupe de coriandre fraîche hachée, du sel et du poivre. Enduisez 1 kg de sardines fraîches et préparées de cette mixture, couvrez et laissez mariner pendant 1 heure. Faites griller les sardines sous un gril préchauffé 2-3 minutes de chaque côté, en les badigeonnant de marinade à mesure qu'elles brunissent et en les retournant. Arrosez-les du reste de marinade avant de servir et garnissez-les de quartiers de citron.

**16 sardines fraîches**

**brins de coriandre, pour garnir (facultatif)**

Marinade :

**1 gousse d'ail**

**2 cuillerées à café de graines de coriandre grillées**

**1 piment rouge séché, épépiné et haché**

**zeste finement râpé et jus d'un citron vert**

**4 cuillerées à soupe d'huile d'olive vierge**

**sel et poivre**

Sauce tomate :

**4 oignons nouveaux, la partie blanche seulement, hachés**

**jus d'un citron vert**

**250 g de tomates bien mûres, pelées, épépinées et hachées**

**½ tomate séchée, hachée**

**½ piment rouge séché, épépiné et haché**

**3 cuillerées à soupe de coriandre fraîche hachée**

# crevettes épicées à la marocaine

500 g de grosses crevettes crues
et non décortiquées

4 cuillerées à soupe d'huile d'olive

2 gousses d'ail écrasées

1 cuill.à café de cumin en poudre

½ cuill. de gingembre en poudre

1 cuillerée à café de paprika

une pincée de piment de Cayenne

feuilles d'une botte de coriandre,
finement hachées

sel

quartiers de citron, pour servir

*Quand je cuisine ce plat, je me rappelle cette superbe soirée sous le ciel bleu de Tanger ; les sons de la nuit commençaient à affluer et l'arôme exotique des crevettes venait me chatouiller les narines. On peut également cuisiner les crevettes en papillon (utilisez des ciseaux pour les couper presque en deux dans la longueur, sans toucher à la queue) et les laisser mariner dans le mélange d'épices avant de les faire griller pendant 3-4 minutes en les arrosant de marinade en cours de cuisson.*

**1** Décortiquez complètement la plupart des crevettes ; gardez-en quelques-unes entières pour la décoration.

**2** Chauffez l'huile d'olive dans une sauteuse, ajoutez l'ail et faites-le revenir jusqu'à ce qu'il exhale son parfum. Incorporez le cumin, le gingembre, le paprika et le piment de Cayenne ; chauffez le tout une trentaine de secondes puis ajoutez les crevettes, la coriandre et salez. Faites-les dorer à feu vif pendant 30 secondes environ, puis servez-les avec leur jus de cuisson et garnies de quartiers de citron.

**Pour 4 personnes**

# calmars et tajine de légumes

*Dans cette recette, on commence par faire cuire les légumes puis on fait rissoler le calmar à feu vif à la dernière minute, car il durcit rapidement s'il est trop cuit.*

**1** Chauffez 2 cuillerées à soupe d'huile d'olive dans une grande sauteuse puis ajoutez l'oignon, l'ail et le piment. Faites-les revenir jusqu'à ce qu'ils soient fondants. Incorporez les filets d'anchois en les écrasant pour qu'ils fondent mieux.

**2** Ajoutez l'aubergine et faites-la cuire 5 minutes, en remuant de temps en temps, puis incorporez la menthe, le persil, le thym et les courgettes. Peu après, ajoutez les poivrons et les tomates. Faites cuire le tout, en remuant de temps en temps, jusqu'à ce que les légumes soient fondants.

**3** Juste avant de servir, chauffez le reste d'huile dans une autre grande sauteuse. Ajoutez les calmars et faites-les revenir à feu vif, en remuant, pendant 1 minute. Retirez-les avec une écumoire et ajoutez-les aux légumes. Salez et poivrez ; servez immédiatement.

**Pour 6 personnes**

4 cuillerées à soupe d'huile d'olive

2 oignons hachés

3 gousses d'ail écrasées

1 piment rouge frais, épépiné et haché

2 filets d'anchois (facultatif)

1 aubergine de 250 g environ, coupée en dés de 2-3 cm de côté

2 cuillerées à soupe de feuilles de menthe ciselées

2 cuillerées à soupe de persil haché

2 brins de thym

2 courgettes émincées

2 poivrons rouges, rôtis au four et pelés si vous le souhaitez, épépinés et grossièrement hachés

4 tomates bien mûres et savoureuses, épépinées et coupées en quatre

1 kg de calmars préparés et détaillés en petits carrés

sel et poivre

# maquereau mariné dans la chermoula

*Certains penseront peut-être que le maquereau est un poisson trop ordinaire pour avoir sa place dans la gastronomie marocaine, mais sur les étals du marché de Tanger, il côtoie les poissons méditerranéens les plus exotiques, certains aisément identifiables et d'autres plus mystérieux. Ce poisson au goût prononcé s'accommode à merveille d'une chermoula épicée et devient alors particulièrement alléchant.*

3 gousses d'ail

2 cuillerées à café de cumin en poudre

2 cuillerées à café de paprika

une pincée de paillettes de piments séchés

une petite botte de coriandre, hachée

15 cl d'huile d'olive

jus d'un citron

4 maquereaux moyens, nettoyés

sel

demi-citrons, pour servir

**1** Écrasez l'ail avec une pincée de sel puis incorporez le cumin, le paprika, le piment séché et la coriandre. Ajoutez l'huile en filet et mélangez bien. Incorporez le jus de citron.

**2** Incisez chaque face des poissons à plusieurs endroits. Enduisez-les de sauce à l'ail, sans oubliez les fentes. Disposez les maquereaux dans un plat à gratin en verre ou en terre cuite, couvrez et laissez reposer pendant 1 heure environ dans un endroit frais

**3** Faites cuire les poissons sous un gril préchauffé ou sur un barbecue chaud en les retournant une ou deux fois ; ils sont cuits si leur chair s'émiette lorsque vous la piquez d'une fourchette.

**4** Servez avec des demi-citrons.

**Pour 4 personnes**

# tajine de fruits de mer

800 g de moules nettoyées

1 oignon finement haché

25 cl de fumet de poisson

2 tomates bien mûres, épépinées et hachées

1 tête d'ail pelée et émincée

une bonne pincée de cardamome en poudre

une bonne pincée de cumin en poudre

une bonne pincée de coriandre en poudre

une bonne pincée de toute-épice en poudre

une bonne pincée de curcuma en poudre

250 g de calmars, préparés

250 g de grosses crevettes crues, épluchées

sel et piment de Cayenne

brins de coriandre, pour garnir

*Comme partout ailleurs en Méditerranée, les pêcheurs marocains, ou plutôt leurs épouses, préparent des tajines avec le meilleur poisson disponible sur le moment – une résolution que nous devrions appliquer le plus souvent possible dans nos cuisines.*

1 Mettez les moules, l'oignon et le fumet de poisson dans une grande casserole. Couvrez et faites cuire le tout à feu moyen pendant 3-5 minutes selon la taille des moules, jusqu'à ce qu'elles soient ouvertes ; agitez la casserole de temps en temps. Jetez les moules encore fermées, laissez refroidir les autres puis retirez-les de leur coquille. Réservez.

2 Passez le liquide de cuisson dans un saladier, laissez reposer 2-3 minutes puis passez la presque totalité du jus recueilli dans une grande sauteuse.

3 Ajoutez les tomates, l'ail, la cardamome, le cumin, la coriandre, la toute-épice et le curcuma. Portez à ébullition puis laissez frémir 5 minutes à feu doux, jusqu'à ce que l'ail soit fondant.

4 Ajoutez les morceaux de calmars, couvrez et pochez-les 1 minute, jusqu'à ce qu'ils se recroquevillent. Ajoutez les crevettes, couvrez et poursuivez la cuisson à feu doux pendant 1 minute. Ajoutez les moules, salez et poivrez et faites cuire le tout 1 minute supplémentaire. Servez immédiatement, avec des brins de coriandre.

**Pour 4 personnes**

# viandes

L'agneau est de loin la viande la plus populaire et la plus consommée. L'Islam interdit le porc, tandis que le terrain et le climat rendent l'élevage des bovins difficile ; quant aux chèvres, on les élève plutôt pour leur lait. Traditionnellement, dans le désert, on tuait de jeunes agneaux pour les cuire entiers à la broche à l'occasion d'une fête. On prépare toujours l'agneau de cette manière, mais dans les villes il se présente surtout sous forme de gigot (voir page 62). De délicieuses brochettes de kébab et de kefta, parfumées aux épices et au feu de bois, sont cuites à la braise, alors que la viande coriace des bêtes plus âgées est détaillée en morceaux qui, mijotés dans un tajine, deviennent si tendres que l'on peut les couper avec une bouchée de pain.

# agneau farci

*C'est un plat parfait pour sustenter un grand nombre d'invités. Par tradition, l'hospitalité marocaine veut que l'on prépare un repas abondant lorsque les convives sont nombreux.*

**1** Préparez la farce. Mettez la semoule dans un saladier, arrosez-la d'eau bouillante, remuez bien et laissez reposer jusqu'à absorption complète de l'eau.

**2** Chauffez une petite sauteuse, ajoutez les graines de coriandre et de cumin puis faites-les griller jusqu'à ce que leur arôme s'exhale puissamment. Réduisez-les en poudre puis ajoutez la cannelle.

**3** Chauffez 1 cuillerée à soupe d'huile dans une sauteuse, ajoutez les pignons et les amandes et faites-les dorer. Transférez-les sur du papier absorbant pour les égoutter. Versez le reste d'huile dans la sauteuse. Lorsqu'elle est chaude, ajoutez l'oignon et faites-le revenir jusqu'à ce qu'il soit fondant. Incorporez l'ail et le mélange d'épices, faites frire le tout 2 minutes, puis ajoutez les pignons, la menthe, la coriandre, les raisins secs, le sel et le poivre.

**4** Ouvrez la pièce d'agneau, côté peau dessous, sur un plan de travail. Poivrez l'intérieur, puis garnissez de farce. Refermez et ficelez le gigot farci en lui donnant la forme d'une grosse saucisse.

**5** Préchauffez le four à température maximale. Disposez l'oignon haché sur une plaque de four, posez le gigot sur le lit d'oignons et arrosez d'huile et de jus de citron. Enfournez le gigot, faites-le cuire 15 minutes puis baissez la température à 220 °C (th. 7). Poursuivez la cuisson 25 minutes de plus. Le gigot doit être rosé en son milieu. Retirez l'agneau du four, couvrez et laissez reposer dans un endroit tiède pendant une quinzaine de minutes avant de le découper. Servez le gigot accompagné de jeunes haricots verts.

**Pour 8-10 personnes**

1 gigot d'agneau de 2 kg, désossé

1 oignon coupé en quartiers

3 cuillerées à soupe d'huile d'olive

jus de 2 citrons

Farce :

50 g de semoule pour couscous

15 cl d'eau bouillante

2 cuillerées à café de graines de coriandre

2 cuillerées à café de graines de cumin

1 cuillerée de cannelle en poudre

3 cuillerées à soupe d'huile d'olive

50 g de pignons de pin

50 g d'amandes effilées

1 gros oignon finement haché

2 gousses d'ail écrasées

1 cuill. à café de menthe séchée

4 cuillerées à soupe de feuilles de coriandre hachées

50 g de raisins secs

sel et poivre

# mini méchoui

*Le méchoui est un plat très apprécié dans les campagnes marocaines. Il s'agit d'un agneau entier cuit à la broche au-dessus d'un grand feu de braises. Dans certaines régions du Maroc, l'agneau est cuit dans un four en terre en forme de ruche, hermétiquement fermé ; ailleurs, il cuit doucement sur la braise à l'intérieur d'un puits fermé.*

**1** Mélangez tous les ingrédients de la marinade et badigeonnez le gigot avec. Couvrez et laissez reposer dans un endroit frais pendant au moins 8 heures, en tournant la viande de temps en temps.

**2** Enfilez le gigot sur une broche ou mettez-le sur une grille au-dessus d'une plaque de four et faites-le cuire pendant 15 minutes dans un four préchauffé à 240 °C (th.8). Diminuez la température du four (180 °C, th. 6) et faites-le rôtir en comptant 18-20 minutes de cuisson par livre, jusqu'à ce que la viande se détache aisément de l'os avec les doigts. Tournez-le fréquemment s'il est posé sur une grille.

**3** Transférez le gigot dans un endroit tiède, couvrez et laissez reposer 15 minutes.

**4** Présentez le gigot sur un grand plat de service, accompagné de pain chaud ainsi que de soucoupes garnies de sel et de cumin moulu ou en graines. Les invités doivent se servir avec les doigts et tremper la viande dans le sel et le cumin avant de la manger.

**Pour 6 personnes**

1 gigot d'agneau de 2 kg environ

Marinade :

**4 cuillerées à soupe d'huile d'olive**

**2 gousses d'ail écrasées**

**5 cm de gingembre frais, pelé, râpé**

**4 cuill. à café de coriandre en poudre**

**2 cuillerées à café de cumin**

**1 cuillerée à café de cannelle**

**1 cuillerée à café de clous de girofle en poudre**

**poivre**

Pour servir :

**sel**

**cumin moulu ou en graines**

# brochettes des souks

*Dans cette recette, on ne fait pas mariner les morceaux de viande dans les épices pour qu'ils s'imprègnent de leur saveur, mais celles-ci sont saupoudrées sur l'agneau au sortir du gril ou du barbecue. Ainsi, dès la première bouchée, leur parfum flatte les papilles gustatives.*

**1** Mettez les morceaux d'agneau dans un saladier. Mélangez l'oignon, l'ail, l'huile d'olive, le sel et le poivre. Versez ce mélange sur la viande, remuez, couvrez et laissez reposer 1 heure ou 2 dans un endroit frais.

**2** Pendant ce temps, faites griller les graines de cumin dans une sauteuse jusqu'à ce qu'elles exhalent leur odeur, puis réduisez-les en poudre.

**3** Enfilez les morceaux d'agneau sur 3-4 brochettes et faites-les cuire sous un gril préchauffé, 4 minutes de chaque côté, jusqu'à ce qu'ils soient croustillants et dorés à l'extérieur, encore rosés à l'intérieur. Saupoudrez de cumin et de paprika et servez immédiatement.

**Pour 3-4 personnes**

500 g d'épaule d'agneau détaillée en gros dés

1 petit oignon très finement haché

2 gousses d'ail écrasées

2 cuillerées à soupe d'huile d'olive

1 cuillerée à soupe de graines de cumin

paprika, pour saupoudrer

sel et poivre

# agneau au barbecue

*Voici un autre mets typique de la gastronomie marocaine. Ici, l'agneau est cuit à la braise, c'est-à-dire dehors. La cuisson au gril s'avère une bonne solution si l'on veut profiter de ces excellentes côtelettes sous n'importe quel climat.*

**1** Mettez les côtelettes dans un plat à feu en verre ou en terre cuite. Mélangez l'huile, l'oignon, l'ail, le jus de citron, la coriandre, le persil, le paprika, le cumin et le piment de Cayenne. Versez cette marinade sur les côtelettes et retournez-les pour bien les imprégner. Couvrez et laissez reposer 2 heures.

**2** Retirez les côtelettes de la marinade et essuyez-les. Faites-les cuire au barbecue ou sous un gril chaud, 4 minutes de chaque côté ; elles doivent être légèrement grillées à l'extérieur et encore rosées à l'intérieur. Salez et servez.

**Pour 4 personnes**

4 côtelettes dans la selle

6 cuillerées à soupe d'huile d'olive

1 oignon râpé

2 gousses d'ail écrasées

jus d'un citron

3 cuillerées à soupe de coriandre fraîche hachée

3 cuillerées à soupe de persil haché

1 cuillerée à café de paprika

1 cuillerée à café de cumin en poudre

une pincée de piment de Cayenne

sel

# agneau à l'étouffée

*Dans cette recette, l'agneau est cuit au milieu de deux épaisseurs de succulents oignons doux. Choisissez de gros oignons, ils cuisent mieux et leur saveur est moins envahissante que celle des petits.*

**1** Chauffez l'huile dans une grande sauteuse, ajoutez les oignons, salez et poivrez, puis faites-les revenir à feu doux jusqu'à ce qu'ils soient fondants. Incorporez l'ail lorsque les oignons sont presque cuits.

**2** Pendant ce temps, chauffez une petite sauteuse, ajoutez le cumin, la coriandre et les clous de girofle et faites revenir ces épices à sec jusqu'à ce qu'elles exhalent leurs arômes. Réduisez-les en poudre puis ajoutez-les au mélange d'oignons ; étalez la moitié des oignons au fond d'une cocotte, transférez le reste dans un saladier.

**3** Faites revenir les côtes d'agneau dans une sauteuse puis mettez-les dans la cocotte, sur le lit d'oignons. Couvrez du reste des oignons et des tomates.

**4** Incorporez le bouillon ou l'eau à la pâte de tomates puis ajoutez le jus ainsi obtenu au contenu de la cocotte. Couvrez et laissez mijoter la viande pendant 1 heure, jusqu'à ce qu'elle soit fondante. Retirez le couvercle en fin de cuisson s'il y a trop de liquide. Salez et poivrez, incorporez les feuilles de coriandre juste avant de servir.

**Pour 4 personnes**

2 cuillerées à soupe d'huile d'olive

500 g de gros oignons doux, émincés

5 gousses d'ail écrasées

1 cuillerée à soupe de graines de cumin

2 cuillerées à café de graines de coriandre

3 clous de girofle

8 côtes d'agneau

400 g de tomates pelées hachées

15 cl de bouillon de poule ou de légumes, ou d'eau

2 cuillerées à soupe de pâte de tomates séchées

une grosse poignée de feuilles de coriandre

sel et poivre

# tajine d'agneau aux pruneaux

*Bien que les ingrédients de ce plat soient presque identiques à ceux que l'on utilise pour le Tajine d'agneau au céleri et aux pruneaux de la page ci-contre et le Tajine d'agneau à la courge et aux pois chiches de la page 74, le résultat obtenu est totalement différent. Aucun n'est «meilleur» que les deux autres : chacun a son charme particulier.*

**1** Mettez l'agneau dans un saladier. Ajoutez les oignons, l'ail, l'huile, le piment séché, le gingembre, le cumin, le paprika, le safran et beaucoup de poivre. Remuez pour bien enrober les morceaux de viande. Couvrez et laissez mariner dans un endroit frais pendant au moins 2 heures, ou toute une nuit au réfrigérateur.

**2** Chauffez une grande sauteuse. Ajoutez l'agneau (en plusieurs fois) et faites-le dorer de manière uniforme. Transférez dans un tajine ou une cocotte. Versez la marinade dans la sauteuse et faites-la chauffer 2-3 minutes avant de l'ajouter à l'agneau. Ajoutez les tomates, le zeste d'orange, la cannelle et la moitié de la coriandre. Mélangez bien puis couvrez et faites cuire au four préchauffé à 160 °C (th. 5) pendant 1 ¼ heure.

**3** Pendant ce temps-là, mettez les pruneaux dans une casserole avec le miel et juste assez d'eau pour couvrir. Laissez frémir une dizaine de minutes.

**4** Ajoutez les pruneaux et leur jus au tajine et poursuivez la cuisson une quinzaine de minutes ; ajoutez le reste de coriandre au bout de 8 minutes environ.

**5** Servez le tajine parsemé d'amandes et garni de feuilles de menthe.

**Pour 6 personnes**

épaule d'agneau de 1 kg, détaillée en dés

2 oignons doux grossièrement râpés

3 grosses gousses d'ail écrasées

4 cuillerées à soupe d'huile d'olive

une grosse pincée de paillettes de piment séché

½ cuillerée à café de gingembre en poudre

½ cuillerée à café de cumin en poudre

½ cuillerée à café de paprika

une pincée de filament de safran écrasés

800 g de tomates pelées en boîte

1 lanière de zeste d'orange

2 bâtons de cannelle

une botte de coriandre hachée

24 gros pruneaux

3-4 cuillerées à soupe de miel liquide

80 g d'amandes mondées grillées

poivre

feuilles de menthe, pour garnir

# tajine d'agneau céleri-pruneaux

2 cuillerées à soupe d'huile d'olive

1 cuillerée à café de gingembre
en poudre

1 cuillerée à café de coriandre
en poudre

1 bâton de cannelle coupé en deux

1,5 kg d'épaule ou de gigot
d'agneau désossé, détaillé
en gros dés

50 cl de bouillon de légumes
ou de poule

2 cuillerées à soupe de persil haché

2 cuillerées à soupe de feuilles
de céleri

1 oignon, finement haché

3 gousses d'ail écrasées

2 branches de céleri émincées

250 g de pruneaux

2 cuillerées à soupe de miel liquide

sel et poivre

amandes effilées grillées,
pour servir

*Dans cette recette de tajine, les épices sont cuites avec l'agneau afin que leur parfum s'immisce dans la viande.*

**1** Chauffez l'huile dans une grande cocotte. Ajoutez le gingembre, la coriandre et la cannelle et remuez le tout à feu doux jusqu'à ce que les épices exhalent leur parfum. Ajoutez les morceaux d'agneau et remuez pour bien les enrober d'huile épicée ; faites-les dorer 10-15 minutes à feu doux.

**2** Versez le bouillon sur la viande, ajoutez persil et feuilles de céleri, chauffez jusqu'au point de frémissement. Couvrez bien et poursuivez la cuisson pendant 1 heure à feu doux.

**3** Ajoutez l'oignon, l'ail, le céleri, les pruneaux et le miel, couvrez à nouveau et laissez mijoter le tout pendant 1 ½ heure, en remuant de temps en temps. Retirez le couvercle pour les 20 dernières minutes de cuisson afin de réduire la quantité de liquide.

**4** Pour servir, salez, poivrez et parsemez d'amandes effilées.

**Pour 6-8 personnes**

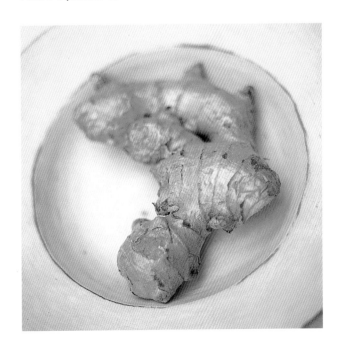

# couscous d'agneau

*Vous pouvez utiliser cette recette comme point de départ de nombreuses variantes, remplacer l'agneau par du poulet par exemple, ou ne pas mettre de viande du tout, choisir de remplacer certains légumes ou d'en ajouter d'autres… Vous pouvez également modifier les quantités d'épices et inclure d'autres variétés.*

**1** Mettez les morceaux d'agneau dans une grande sauteuse. Ajoutez 1 litre d'eau, les oignons, l'ail, le safran, la cannelle, le paprika, le piment, le gingembre, le sel et le poivre. Portez à ébullition, écumez, couvrez et laissez frémir à feu très doux pendant une trentaine de minutes. Ajoutez les carottes, les navets, le céleri-rave, couvrez et poursuivez la cuisson 15 minutes.

**2** Mettez la semoule pour couscous dans un grand saladier, arrosez de 30 cl d'eau, remuez bien et laissez reposer 10 minutes. Ajoutez à nouveau 30 cl d'eau ainsi que l'huile et remuez la semoule à la fourchette pour bien séparer les grains. Laissez gonfler une dizaine de minutes. Mettez la semoule dans le récipient supérieur d'un cuit-vapeur ou d'un couscoussier que vous posez sur le récipient inférieur rempli d'eau bouillante. Chauffez une dizaine de minutes.

**3** Pendant ce temps, ajoutez les courgettes et les fèves à la viande. Ajoutez les tomates, la coriandre et le persil et poursuivez la cuisson 5 minutes jusqu'à ce que les légumes soient fondants.

**4** Travaillez la semoule à la fourchette pour séparer les grains, puis transférez dans un grand plat de service. Ajoutez le beurre, remuez, salez et poivrez. Formez un monticule avec un grand puits au centre et dressez les morceaux d'agneau à l'intérieur. Avec une écumoire, retirez les légumes du bouillon et disposez-les autour de la viande. Servez le reste de bouillon dans un bol chaud.

**Pour 4 personnes**

500 g d'agneau maigre détaillé en gros dés

2 oignons coupés en quatre puis grossièrement émincés

2 gousses d'ail écrasées

une pincée de filaments de safran écrasés

1 cuillerée à café de cannelle

½ cuillerée à café de paprika

1 piment rouge frais, épépiné et finement haché

½ cuillerée à café de gingembre en poudre

250 g de carottes nouvelles coupées en quatre dans la longueur

250 g de navets coupés en quatre

250 g de céleri-rave coupé en dés

500 g de semoule pour couscous

2 cuillerées à café d'huile d'olive

250 g de courgettes coupées en quatre dans la longueur

250 g de fèves

4 tomates coupées en quatre

une botte de coriandre, hachée

une grosse botte de persil, haché

50 g de beurre doux

sel et poivre

# ragoût d'agneau

*Nous avons tellement l'habitude de faire revenir la viande avant de la cuire à la cocotte
ou de la braiser que nous ne pensons pas à utiliser la méthode simple qui consiste à faire
cuire tous les ingrédients simultanément dans une cocotte. Lalla, qui a commencé à cuisiner
dès l'âge de dix ans (elle a aujourd'hui la soixantaine), dit qu'il est inutile de perdre du temps
à faire revenir légumes et viande pour préparer ce ragoût. J'ai essayé les deux modes
de cuisson et me suis finalement rangée à son avis.*

**1** Mettez les morceaux d'agneau dans un grand saladier puis ajoutez les oignons, l'ail,
le piment, le gingembre, le laurier et l'huile. Couvrez et laissez reposer dans un endroit
frais pendant 4 heures. Sinon, réfrigérez pendant toute une nuit et laissez reposer
à température ambiante pendant l'heure qui précède la cuisson.

**2** Ajoutez les pommes de terre, les aubergines, les poivrons rouges, les tomates et leur
jus à la viande, salez et poivrez. Transférez le tout dans une cocotte, couvrez et faites
cuire le ragoût pendant 30 minutes au four préchauffé à 200 °C (th. 6-7).

**3** Baissez la température du four (160 °C, th. 5) et poursuivez la cuisson pendant
1 ½ heure, en remuant une ou deux fois, jusqu'à ce que la viande soit tendre.
Si nécessaire, ajoutez un peu d'eau ou de bouillon.

**4** Parsemez de persil et de coriandre avant de servir.

**Pour 6 personnes**

1 kg d'épaule d'agneau,
détaillée en dés de 5 cm

800 g de gros oignons émincés

5 gousses d'ail écrasées

1 piment rouge frais, épépiné
et finement haché

5 cm de rhizome de gingembre
frais, pelé et râpé

1 feuille de laurier déchiquetée

4 cuillerées à soupe d'huile
d'olive

250 g de pommes de terre
coupées en dés de 2,5 cm

500 g de petites aubergines
coupées en dés de 2,5 cm

2 poivrons rouges, épépinés
et détaillés en lanières

400 g de tomates pelées
en boîte

sel et poivre

une grosse poignée de persil
et de feuilles de coriandre,
pour garnir

# tajine d'agneau aux pois chiches et aux raisins

*Les légumes et les pois chiches associés à l'agneau donnent un plat nourrissant et économique auquel la subtile fragrance des épices confère une note de joyeuse originalité. Vous pouvez aussi utiliser un gigot d'agneau de 2 kg que vous ferez cuire 2 heures avant d'ajouter les pois chiches et les raisins secs.*

**1** Mettez les morceaux d'agneau dans un grand saladier. Ajoutez l'ail, le miel, l'huile d'olive, la coriandre, le safran, le paprika, le cumin et la pâte de tomates, puis remuez. Salez et poivrez, couvrez et laissez reposer toute une nuit dans un endroit frais ou au réfrigérateur, en remuant de temps en temps. L'agneau doit avoir séjourné 1 heure à température ambiante avant la cuisson.

**2** Mettez la viande et la marinade dans un plat de four. Ajoutez les pommes de terre, les carottes, les échalotes, le bouillon et la cannelle ; remuez pour bien mélanger. Couvrez de papier d'aluminium et faites cuire ce plat pendant 1 heure au four préchauffé à 200 °C (th. 6-7).

**3** Incorporez les pois chiches et les raisins au tajine et poursuivez la cuisson une trentaine de minutes. Retirez le papier d'aluminium et faites cuire 30 minutes de plus pour que les légumes soient dorés.

**4** Servez le tajine garni de brins de coriandre et accompagné d'un bol d'harissa.

**Pour 6 personnes**

1,7 kg d'épaule d'agneau avec son os, découpée en gros morceaux

6 gousses d'ail écrasées

1 cuillerée à soupe de miel liquide

4 cuillerées à soupe d'huile d'olive

3 cuillerées à soupe de coriandre fraîche hachée

une pincée de filaments de safran écrasés

2 cuillerées à café de paprika

2 cuillerées à café de cumin

2 cuillerées à soupe de pâte de tomates séchées

250 g de pommes de terre coupées en morceaux

250 g de carottes coupées en morceaux

250 g d'échalotes

30 cl de bouillon de poule ou de légumes

2 bâtonnets de cannelle

250 g de pois chiches en boîte, égouttés

250 g de gros raisins secs

sel et poivre

brins de coriandre, pour garnir

harissa (voir page 80), pour servir

# bastilla à l'agneau

*Bien que la bastilla soit traditionnellement garnie d'une farce au pigeon ou au poulet, j'ai eu l'occasion de goûter plusieurs variantes, comme la bastilla aux moules, la bastilla aux crevettes et aux coquilles Saint-Jacques, la bastilla aux asperges et la bastilla aux lentilles épicées. Cette recette, aux lentilles rouges et à l'agneau haché, est une version simplifiée.*

**1** Chauffez l'huile dans une sauteuse. Ajoutez l'oignon et faites-le revenir jusqu'à ce qu'il soit transparent. Ajoutez l'ail, le gingembre, la menthe et le paprika ; remuez 1 minute puis ajoutez l'agneau. Faites revenir la viande, en remuant bien pour casser les gros morceaux, jusqu'à ce qu'elle change de couleur. Incorporez les lentilles, la purée de tomates, l'harissa ou le piment séché, le jus de citron, les raisins secs et le bouillon. Couvrez et laissez mijoter 20-25 minutes à feu très doux, en remuant de temps en temps ; les lentilles doivent être tendres et le liquide presque totalement absorbé. Retirez le couvercle, augmentez légèrement la flamme et laissez bouillonner en remuant jusqu'à élimination du surplus de liquide. Salez et poivrez puis transférez dans un saladier et laissez refroidir.

**2** Graissez un plat de four de 3 cm de profondeur. Tapissez-le des feuilles de brick préalablement badigeonnées d'huile ; faites-les se chevaucher. Laissez retomber le surplus de pâte hors du plat. Garnissez de mélange à l'agneau. Repliez le restant de pâte sur la farce pour la recouvrir. Badigeonnez la pâte d'huile et parsemez de graines de pavot.

**3** Laissez cuire la bastilla 30-35 minutes au four préchauffé à 190 °C (th. 6). Couvrez de papier d'aluminium et poursuivez la cuisson une vingtaine de minutes. Laissez refroidir une dizaine de minutes avant de servir.

**Pour 4 personnes**

---

**2 cuillerées à soupe d'huile d'olive**

**1 oignon émincé**

**2 gousses d'ail finement hachées**

**2,5 cm de rhizome de gingembre frais, pelé et râpé**

**½ cuillerée à café de menthe séchée**

**½ cuillerée à café de paprika**

**250 g d'agneau maigre haché**

**175 g de lentilles rouges**

**2 cuillerées à soupe de purée de tomates**

**harissa (voir page 80), à votre convenance, ou une pincée de paillettes de piments séchés**

**2 cuillerées à soupe de jus de citron**

**50 g de raisins secs**

**60 cl de bouillon de volaille ou de légumes**

**environ 125 g de feuilles de brick, décongelées si vous les achetez surgelées**

**graines de pavot, pour saupoudrer**

**sel et poivre**

# kefta aux œufs

*Pour que ce plat conserve tout son caractère, il convient de prêter une attention particulière à la cuisson des œufs. En effet, une fois les œufs cassés, le jaune doit couler sur la kefta et se mélanger à la sauce tomate afin de créer un audacieux contraste. Si possible, préparez la sauce et la kefta un jour à l'avance pour permettre aux arômes de se développer.*

**1** Pour préparer la sauce, mettez l'huile, l'oignon, l'ail et les tomates dans une grande sauteuse et laissez frémir jusqu'à obtention d'un mélange épais, sans couvrir et en remuant de temps en temps. Ajoutez la coriandre en fin de cuisson. La sauce doit avoir un goût prononcé ; si nécessaire, ajoutez de la pâte de tomates séchées et assaisonnez de copeaux de piments séchés, de paprika, de sel et de poivre.

**2** Chauffez une petite sauteuse, ajoutez les graines de cumin et faites-les griller jusqu'à ce qu'elles exhalent leur parfum.

**3** Mettez l'oignon, l'ail, le piment et les graines de cumin dans un robot ménager et mixez. Ajoutez la viande, un œuf, le persil, le sel et le poivre. Mixez à nouveau jusqu'à obtention d'une pâte. Façonnez des boulettes de la taille d'une petite noix.

**4** Chauffez l'huile, ajoutez les boulettes de kefta et faites-les frire jusqu'à ce qu'elles soient bien dorées. Mettez les boulettes dans la sauce et pochez-les 10 minutes.

**5** Retirez les boulettes de kefta et faites 4 creux dans la sauce du dos d'une cuiller. Cassez délicatement un œuf dans chaque creux, couvrez la sauteuse et pochez les œufs 8-10 minutes. Saupoudrez les œufs de paprika et servez immédiatement.

**Pour 4 personnes**

4 cuillerées à café de graines de cumin

1 oignon haché

1 gousse d'ail, écrasée

1 piment rouge frais, épépiné et haché

500 g d'agneau finement haché

5 œufs

une petite botte de persil

huile de friture

sel et poivre

Sauce :

4 cuillerées à soupe d'huile d'olive vierge

1 oignon finement haché

2 gousses d'ail écrasées

500 g de tomates bien mûres

2 cuillerées à soupe de coriandre hachée

pâte de tomates séchées (facultatif)

une pincée de paillettes de piments séchés (facultatif)

paprika

# tajine d'agneau aux artichauts et aux fèves

une pincée de filaments de safran

une botte de persil

1 botte de coriandre

3 cuillerées à soupe d'huile d'olive
ou d'huile des artichauts
(voir ci-dessous)

1,5 kg d'agneau dans le gigot ou
l'épaule, détaillé en gros morceaux

1 oignon émincé

2 gousses d'ail écrasées

25 cl de bouillon ou d'eau

1 cuillerée à café de coriandre
en poudre

1 cuillerée à café de gingembre
en poudre

500 g d'artichauts conservés
dans l'huile, égouttés

500 g de fèves surgelées,
décongelées

2 citrons confits (voir page 102),
écorce uniquement, coupée en dés

poivre

brins de coriandre, pour garnir

*Les artichauts dans l'huile surpassent en goût et en texture les artichauts en boîte.*
*Vous pouvez utiliser l'huile des artichauts pour la cuisson, pour préparer des vinaigrettes*
*ou assaisonner des pâtes, du riz ou des légumineuses. Si vous ne trouvez pas d'artichauts*
*conservés dans l'huile, optez pour des artichauts en boîte mais pensez à les rincer après*
*les avoir égouttés.*

**1** Faites tremper le safran dans l'eau bouillante. Nouez ensemble les bottes de persil
et de coriandre.

**2** Chauffez l'huile dans une cocotte. Ajoutez l'agneau en plusieurs fois et faites-le dorer.
Transférez sur du papier absorbant.

**3** Mettez l'oignon dans la cocotte et faites-le dorer ; ajoutez l'ail quand l'oignon est
presque à point. Remettez la viande dans la cocotte puis arrosez de bouillon ou d'eau,
ajoutez la coriandre, le gingembre, le safran et les herbes. Couvrez et laissez mijoter
1 ¼ heure environ, en remuant de temps en temps ; la viande doit être tendre.

**4** Incorporez les artichauts, les fèves et l'écorce de citron confit ; couvrez et poursuivez
la cuisson une trentaine de minutes, à feu doux, en remuant de temps en temps.
Pour servir, retirez les bottes d'herbes aromatiques, salez et poivrez puis garnissez
de brins de coriandre.

**Pour 6-8 personnes**

# tajine d'agneau à la courge et aux pois chiches

*Ce plat est très facile à préparer. Veillez seulement à bien faire revenir la viande à feu vif pour la saisir, afin qu'elle ne mijote pas dans son jus.*

1 Chauffez l'huile dans une sauteuse. Ajoutez les morceaux d'agneau en plusieurs fois et faites-les dorer à feu vif. Arrosez de bouillon, ajoutez la cannelle, couvrez et laissez frémir pendant 1 heure.

2 Ajoutez la courge, les petits oignons, le jus de citron et le miel, couvrez et laissez mijoter une trentaine de minutes jusqu'à ce que les légumes soient fondants. Incorporez les pois chiches et les pruneaux puis poursuivez la cuisson pendant 5 minutes. Salez et poivrez à volonté.

**Pour 4 personnes**

1 cuillerée à soupe d'huile d'olive

800 g d'agneau dans le gigot, détaillé en dés

60 cl de bouillon de volaille

½ cuillerée à café de cannelle en poudre

400 g de courge détaillée en dés

250 g de petits oignons pelés, extrémités intactes

3 cuillerées à soupe de jus de citron

1 cuillerée à soupe de miel liquide

250 g de pois chiches cuits

250 g de pruneaux

sel et poivre

# tajine d'agneau au fenouil

1 Chauffez 1 cuillerée à soupe d'huile d'olive dans une cocotte à fond épais. Ajoutez fenouil, oignon, ail et faites dorer le tout. Transférez les légumes sur un plat.

2 Augmentez la flamme et versez le reste d'huile dans la cocotte. Lorsqu'elle est chaude, ajoutez les morceaux d'agneau et faites-les dorer en remuant fréquemment. Ajoutez coriandre, cumin, gingembre et piment, salez et poivrez, remuez pendant 1 minute.

3 Remettez le mélange au fenouil dans la cocotte et incorporez le bouillon ou l'eau. Chauffez jusqu'au point de frémissement, puis couvrez et laissez mijoter 2 heures environ en remuant de temps à autre.

4 Incorporez les raisins secs, couvrez (sauf s'il y a trop de jus) et poursuivez la cuisson 15 minutes. Salez, poivrez et garnissez de coriandre.

**Pour 4 personnes**

2 cuillerées à soupe d'huile d'olive

1 bulbe de fenouil émincé

1 oignon haché

2 gousses d'ail écrasées

800 g d'agneau dans l'épaule ou le gigot, désossé et détaillé en dés

2 cuillerées à café de coriandre

2 cuillerées à café de cumin en poudre

1 cuillerée à café de gingembre

une pincée de paillettes de piments séchés

50 cl de bouillon de bœuf ou de légumes, ou d'eau

50 g de raisins secs

sel et poivre

brins de coriandre, pour garnir

# agneau mariné au riz

*Dans la recette originale, le riz est cuit séparément puis façonné en pyramide sur un grand plat de service ; l'agneau, les légumes et la sauce sont présentés dessus. Je préfère de loin la manière dont Radia prépare ce plat car le riz s'imprègne des saveurs aromatiques des épices ainsi que du goût des légumes. Si vous cuisinez l'agneau sans le riz, il vous faudra 50 cl de bouillon. Cette version de la recette est figurée en arrière-plan de la photographie page 76.*

**1** Mettez l'agneau dans un saladier en verre ou en terre cuite. Ajoutez les ingrédients de la marinade et remuez bien. Couvrez et laissez reposer toute une nuit dans un endroit frais ou au réfrigérateur. Dans ce dernier cas, sortez le plat 1 heure avant la cuisson pour qu'il se réchauffe à température ambiante.

**2** Chauffez l'huile dans une grande cocotte. Ajoutez le céleri et les poivrons rouges, faites-les revenir 2-3 minutes, retirez avec une écumoire et réservez.

**3** Égouttez l'agneau en réservant la marinade. Mettez l'agneau dans la cocotte en plusieurs fois et faites-le dorer 3-4 minutes. Transférez sur du papier absorbant.

**4** Mettez l'oignon dans la cocotte et faites-le dorer. Ajoutez la marinade, faites-la bouillonner 2 minutes et ajoutez le riz. Remuez à feu doux pendant 1 minute puis ajoutez le bouillon et les tomates. Portez à ébullition, en remuant.

**5** Ajoutez l'agneau au riz, salez et poivrez généreusement. Couvrez et laissez frémir une trentaine de minutes.

**6** Incorporez le céleri et le poivron rouge, couvrez et poursuivez la cuisson une dizaine de minutes. Servez garni de coriandre et de citron.

**Pour 8 personnes**

gigot d'agneau de 1 kg, désossé, détaillé en gros dés

2 cuillerées à soupe d'huile d'olive

125 g de céleri en branches, émincé

2 poivrons rouges, épépinés et détaillés en lanières

1 gros oignon finement haché

300 g de riz long blanc

1 l de bouillon de volaille ou de légumes

400 g de tomates en boîte

sel et poivre

Marinade :

9 gousses d'ail écrasées

5 cuillerées à soupe de coriandre fraîche hachée

3 piments rouges frais, épépinés et hachés

une grosse pincée de filaments de safran

5 cuillerées à café de paprika

5 cuillerées à café de cumin

15 cl d'huile d'olive

10 cl de jus de citron

Pour garnir :

brins de coriandre

quartiers de citron

# tajine d'agneau aux abricots

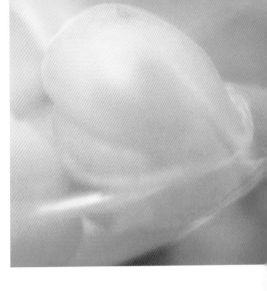

*Les Marocains sont amateurs de saveurs sucrées : la recette originale utilise du miel.
Pour ma part, j'ai pensé que les abricots secs apportaient une note suffisamment douce
pour équilibrer la saveur du plat, mais libre à vous d'ajouter une cuillerée ou deux de miel.*

**1** Chauffez l'huile dans une cocotte à fond épais, ajoutez l'agneau et faites-le dorer
de manière uniforme. Transférez-le dans un saladier. Mettez l'oignon dans la cocotte
et faites-le revenir à feu doux, en remuant de temps à autre. Incorporez l'ail
et le gingembre, augmentez la flamme et poursuivez la cuisson 1 minute.

**2** Ajoutez le céleri, le safran, la coriandre et le cumin ; remuez pendant 30 secondes,
puis remettez l'agneau et son jus dans la cocotte. Ajoutez le sel et le poivre ainsi que
suffisamment d'eau pour couvrir la viande, mettez un couvercle et faites cuire le tout
à feu doux pendant 1 heure environ, en remuant de temps en temps.

**3** Incorporez les abricots et leur eau de trempage, ainsi que le jus d'orange,
au contenu de la cocotte ; couvrez et laissez cuire le tajine une trentaine de minutes –
les ingrédients doivent être tendres et le jus épais. S'il y a trop de jus ou si celui-ci est
trop liquide, transférez la viande et les légumes dans un plat de service chaud et faites
bouillir le jus pour qu'il épaississe. Arrosez la viande et les légumes de cette sauce
et remuez bien tous les ingrédients. Garnissez de persil haché.

**Pour 4 personnes**

3-4 cuillerées à soupe d'huile
d'olive

600 g d'agneau maigre détaillé
en dés

1 oignon doux finement haché

3 gousses d'ail hachées

50 g de rhizome de gingembre
frais, pelé et finement haché

2 branches de céleri émincées

une pincée de filaments de safran
grillés et écrasés

1 cuillerée à café de graines
de coriandre grillées et écrasées

1 cuillerée à café de graines
de cumin grillées et écrasées

150 g d'abricots secs,
mis à tremper la veille,
juste recouverts d'eau

jus d'une orange

sel et poivre

persil haché, pour garnir

# tajine d'agneau gombo-amandes

**1** Mettez l'agneau, l'oignon, l'ail, le poivron rouge, le gingembre, la cannelle, le paprika, le bouillon, le miel et le jus de citron dans une cocotte à fond épais et faites frémir le tout. Couvrez et poursuivez la cuisson 1 ¼ heure, en remuant de temps en temps.

**2** Ajoutez les gombos et les amandes. Couvrez, sauf si vous pensez qu'il y a trop de jus, et poursuivez la cuisson 15-20 minutes jusqu'à ce que les gombos soient fondants.

**3** Assaisonnez de sel et de poivre et servez.

**Pour 4 personnes**

1 kg d'agneau dans l'épaule ou le gigot, désossé, détaillé en gros dés

1 oignon haché

3 gousses d'ail écrasées

1 gros poivron rouge, épépiné et émincé

5 cm de rhizome de gingembre frais, pelé et râpé

2 cuillerées à café de cannelle en poudre

2 cuillerées à café de paprika

60 cl de bouillon de bœuf ou de légumes, ou d'eau

1 ½ cuillerée à soupe de miel liquide

jus d'un citron

400 g de gombos préparés

80 g d'amandes mondées, entières

sel et poivre

# agneau aux tomates et aubergines

4 cuill. à soupe d'huile d'olive

2 manches de gigot d'agneau

2 petites aubergines, coupées
en deux dans la longueur
et grossièrement émincées

2 gros oignons émincés

4 gousses d'ail écrasées

1 bâton de cannelle

400 g de tomates pelées en boîte,
hachées

2 cuillerées à soupe de pâte
de tomates séchées

2 cuillerées à café d'harissa
(voir ci-dessous)

sel et poivre

**1** Chauffez 2 cuillerées à soupe d'huile d'olive dans une cocotte à fond épais. Ajoutez l'agneau et faites-le dorer. Retirez la viande avec une écumoire et transférez-la sur une assiette.

**2** Versez le reste d'huile dans la cocotte et faites rissoler les aubergines en plusieurs fois, en ajoutant de l'huile si nécessaire. Retirez-les avec une écumoire et transférez-les dans un plat.

**3** Réduisez légèrement la flamme puis mettez les oignons et l'ail dans la cocotte ; faites-les revenir jusqu'à ce qu'ils soient fondants. Incorporez la cannelle, les tomates, la pâte de tomates et l'harissa, puis remettez l'agneau et les aubergines dans la cocotte. Ajoutez suffisamment d'eau pour presque couvrir la viande. Chauffez jusqu'au point de frémissement, couvrez et poursuivez la cuisson pendant 1 ½-2 heures jusqu'à ce que l'agneau soit tendre.

**4** Transférez l'agneau dans un plat chaud. Retirez le gras du jus de cuisson, faites bouillir le jus dans la cocotte afin qu'il épaississe, salez et poivrez puis répartissez-le autour de la viande à l'aide d'une cuiller.

**Pour 2 personnes**

# harissa

*L'harissa est une pâte ardente, mélange de piments rouges, d'oignons, d'ail et d'épices qui donne caractère et ardeur aux plats qu'il agrémente. Il est employé en cuisine et servi dans des petits bols sur la table lors des repas. Originaire de Tunisie, il est maintenant répandu au Maroc et en Algérie.*

**1** Mettez les poivrons rouges, les piments et leurs pépins, l'ail, la coriandre et les graines de carvi dans un robot ménager, salez et mixez en ajoutant suffisamment d'huile pour obtenir une pommade épaisse.

**2** Conservez l'harissa dans un pot hermétique et versez un peu d'huile sur le dessus. Vissez le couvercle et rangez le pot au réfrigérateur.

2 poivrons rouges, rôtis et pelés

25 g de piments rouges frais,
hachés, avec leurs pépins

1-2 gousses d'ail écrasées

½ cuillerée à café de graines
de coriandre grillées

2 cuill. à café de graines de carvi

huile d'olive

sel

# tajine d'agneau aux gombos

3 cuillerées à soupe d'huile

1 kg d'agneau maigre détaillé
en dés

1 gros oignon haché

3 gousses d'ail

1 cuillerée à café de coriandre
en poudre

½ cuillerée à café de cumin
en poudre

500 g de gombos nettoyés

4 tomates bien mûres, pelées,
épépinées et hachées

1-2 cuillerées à soupe de pâte
de tomates séchées

jus de citron, à volonté

sel et poivre

persil ou coriandre haché,
pour garnir

*Ce tajine est différent de celui de la page 78 ; en effet, l'agneau et les gombos sont cuisinés avec d'autres épices et on a fait dorer la viande avant d'ajouter les légumes et les épices.*

**1** Chauffez l'huile dans une cocotte à fond épais, ajoutez l'agneau en plusieurs fois et faites-le dorer. Transférez-le dans un plat avec une écumoire.

**2** Mettez l'oignon et l'ail dans la cocotte et faites-les revenir en remuant de temps en temps. Incorporez la coriandre en poudre et le cumin, ajoutez les gombos et poursuivez la cuisson quelques minutes. Ajoutez les tomates, la pâte de tomates et du jus de citron à volonté ; laissez cuire encore 2-3 minutes.

**3** Remettez l'agneau et son jus dans la cocotte, salez et poivrez, versez suffisamment d'eau pour presque recouvrir la viande et portez au seuil de l'ébullition. Couvrez la cocotte et poursuivez la cuisson à feu doux pendant 1 ½ heure, jusqu'à ce que l'agneau soit tendre ; remuez de temps en temps pendant la cuisson et ajoutez un peu d'eau chaude si nécessaire, mais la sauce doit être épaisse en fin de cuisson.

**4** Servez le tajine parsemé de persil ou de coriandre.

**Pour 4-6 personnes**

# tajine d'agneau aux dattes

*L'épluchage des échalotes sera plus facile si vous les plongez au préalable dans l'eau bouillante. Si vous ne touchez pas aux extrémités, elles resteront entières pendant la cuisson. Au Maroc, il existe plusieurs variétés de dattes moelleuses et juteuses, chacune avec une saveur particulière, qui n'ont rien de commun avec les dattes séchées vendues dans nos magasins et conditionnées dans des emballages en bois. Même s'il nous est impossible de trouver les dattes qu'utilisent les cuisinières marocaines, nous disposons maintenant de bonnes dattes fraîches, en particulier les medjool, qui sont utilisées dans cette recette et dans d'autres préparations régionales à base de dattes.*

**1** Mettez l'agneau dans un grand saladier. Mélangez la coriandre, le gingembre, le safran et 1 cuillerée à soupe d'huile, remuez pour bien enrober la viande de cette sauce. Couvrez et laissez reposer au réfrigérateur toute la nuit.

**2** Le lendemain, retirez la viande du réfrigérateur une heure avant la cuisson. Remplissez une casserole d'eau et portez-la à ébullition ; ajoutez les échalotes et poursuivez la cuisson 2 minutes. Égouttez les échalotes, rincez-les sous l'eau froide et laissez-les refroidir un peu avant de les peler ; laissez les extrémités intactes.

**3** Chauffez une autre cuillerée à soupe d'huile dans une cocotte à fond épais, ajoutez l'agneau en plusieurs fois et faites-le rissoler. Ajoutez un peu d'huile si nécessaire. Retirez l'agneau de la cocotte.

**4** Mettez l'ail dans la cocotte, remuez pendant 1 minute et ajoutez l'agneau, la farine, les échalotes, le bouillon, la pâte de tomates, la cannelle, la coriandre, le persil et le laurier. Remuez pour bien mélanger et chauffez pour faire frémir le mélange. Couvrez et poursuivez la cuisson à feu doux pendant 1 ¼ heure en remuant de temps en temps.

**5** Ajoutez les dattes et le miel, salez et poivrez, puis laissez cuire une quinzaine de minutes. Selon la quantité de liquide restant, couvrez ou non la cocotte.

**Pour 6-8 personnes**

---

1,5 kg d'agneau désossé, gigot ou épaule, détaillé en gros dés

2 cuillerées à café de coriandre en poudre

2 cuillerées à café de gingembre en poudre

une grosse pincée de filaments de safran écrasés

4 cuillerées à soupe d'huile d'olive

18 échalotes

4 gousses d'ail écrasées

1 cuillerée à soupe de farine

60 cl de bouillon de volaille ou de légumes

1 cuillerée à soupe de pâte de tomates séchées

1 gros bâton de cannelle cassé en deux

2 cuillerées à soupe de coriandre hachée

2 cuillerées à soupe de persil haché

1 feuille de laurier, torsadée

125 g de dattes fraîches dénoyautées, coupées en deux dans la longueur

1 cuillerée à soupe de miel liquide

sel et poivre

# volailles

Toute personne éprouvant une certaine lassitude du poulet devrait voir comment les cuisinières marocaines accommodent ce volatile et se rendrait compte de son erreur. Produit d'une imagination et d'une inventivité fécondes, cette volaille est présentée à table sous d'innombrables atours, du simple poulet grillé, mariné avant la cuisson pour lui donner une saveur particulière, aux plats consistants agrémentés de légumineuses comme les pois chiches, et aux riches tajines parfumés au safran. Le poulet est associé aux fruits charnus, aux fruits secs et à un vaste assortiment de légumes, des aubergines aux navets. Les épices participent à cette opulence de mets sous forme de compositions diverses dont on ne connaît pas toujours les proportions ou les quantités. Le poulet est également présent dans le plat de volaille le plus célèbre du Maroc, la bastilla (voir page 99), même si l'on utilise traditionnellement du pigeon. Comme dans beaucoup d'autres pays, la dinde se cuisine pour les grandes occasions et, encore une fois, les cuisinières marocaines rivalisent de créativité pour montrer combien cette volaille peut être succulente et goûteuse.

# tajine de poulet aux amandes et au safran

*La coriandre, parsemée sur le poulet en guise de garniture, n'a pas pour seule mission de rendre le plat attrayant, elle contribue à lui donner cette saveur originale qui fait tout son charme.*

**1** Chauffez l'huile dans une cocotte à fond épais. Ajoutez les blancs de poulet et faites-les dorer de manière uniforme. Égouttez-les sur du papier absorbant.

**2** Mettez les oignons, le céleri, les carottes et l'ail dans la cocotte et faites revenir le tout 5-7 minutes à feu doux. Ajoutez le bouillon et le safran. Incorporez la poudre d'amandes, salez et poivrez puis portez à ébullition. Remettez les blancs de poulet dans la cocotte et couvrez-les presque entièrement d'eau. Chauffez jusqu'au point de frémissement, couvrez et poursuivez la cuisson à feu doux pendant 30-40 minutes. Le poulet est cuit s'il rend un jus clair lorsqu'on le pique en profondeur avec un couteau.

**3** Transférez les morceaux de poulet sur un plat de service chaud, couvrez et réservez au chaud. Faites bouillir le liquide de cuisson pour obtenir la consistance et la saveur souhaitées. Parsemez de feuilles de coriandre et servez.

**Pour 4 personnes**

**2 cuillerées à soupe d'huile d'olive**

**4 beaux blancs de poulet**

**2 oignons très finement hachés**

**2 branches de céleri finement hachées**

**2 jeunes carottes très finement hachées**

**1 gousse d'ail écrasée**

**15 cl de bouillon de volaille**

**une grosse pincée de filaments de safran**

**50 g d'amandes fraîchement moulues**

**sel et poivre**

**feuilles de coriandre grossièrement hachées, pour garnir**

# poulet
# à la marocaine

1 Chauffez 25 g de beurre dans une cocotte à fond épais. Ajoutez les morceaux de poulet et faites-les dorer. Transférez-les sur du papier absorbant pour égoutter.

2 Mettez l'oignon dans la cocotte et faites-le revenir à feu doux jusqu'à ce qu'il soit fondant. Ajoutez le poivre, le paprika, le cumin et la cannelle puis remettez le poulet. Couvrez presque entièrement d'eau, fermez la cocotte et laissez mijoter 1 heure environ en remuant de temps à autre.

3 Transférez le poulet sur un plat de service chaud. Faites bouillir le jus de cuisson pour le réduire de moitié. Filtrez le jus et incorporez la coriandre ainsi que le jus de citron. Salez et poivrez. Nappez les morceaux de volaille de cette sauce et servez.

**Pour 4 personnes**

75 g de beurre doux

4 cuisses ou ailes entières de poulet

1 oignon haché

1 cuillerée à café de grains de poivre noir écrasés

2 cuillerées à café de paprika

1 cuillerée à café de graines de cumin

1 bâton de cannelle de 5 cm

1 cuillerée à soupe de coriandre fraîche hachée

jus d'un citron

sel

# tajine de poulet aux aubergines

*Ce plat est un exemple typique de cuisine dans laquelle les aubergines écrasées mijotent dans le jus de cuisson du poulet pour donner une sauce épaisse et savoureuse.*

**1** Mettez le poulet dans un saladier en verre ou en terre cuite. Rassemblez tous les ingrédients de la marinade dans un robot ménager et mixez. Versez la marinade sur le poulet, tournez-le poulet de façon à bien l'enrober. Couvrez et réfrigérez pendant 8 heures environ, en retournant la volaille de temps en temps.

**2** Sortez le poulet du réfrigérateur 1 heure avant la cuisson pour qu'il se réchauffe à température ambiante.

**3** Transférez le poulet et la marinade dans une cocotte à fond épais et cuisez le tout à feu doux. Laissez frémir, couvrez puis poursuivez la cuisson pendant 1 ½ heure, en tournant la volaille de temps à autre. Vérifiez la cuisson en piquant un couteau dans sa chair ; si la volaille est cuite, elle rend un jus clair.

**4** Pendant ce temps-là, salez les aubergines et laissez-les reposer 1 heure. Rincez-les à l'eau froide et séchez-les. Chauffez l'huile d'olive dans une sauteuse, ajoutez les aubergines et faites-les revenir jusqu'à ce qu'elles soient fondantes. Égouttez-les sur du papier absorbant.

**5** Transférez le poulet dans un plat de service chaud, couvrez et maintenez au chaud. Réservez quelques rondelles d'aubergine pour garnir. Ajoutez le reste des aubergines, le bouillon et le jus de citron au jus de cuisson dans la cocotte. Portez à ébullition en écrasant les aubergines à la fourchette et laissez frémir jusqu'à obtention d'une sauce onctueuse. Goûtez, salez et poivrez au besoin, puis nappez le poulet de cette sauce. Garnissez de rondelles d'aubergine et de quartiers de citron.

**Pour 4 personnes**

---

**1 poulet de 1,5 kg**

**2 aubergines, pelées et coupées en rondelles de 1 cm d'épaisseur**

**4 cuillerées à soupe d'huile d'olive**

**15 cl de bouillon de volaille**

**2 cuillerées à soupe de jus de citron**

**sel et poivre**

**quartiers de citron, pour garnir**

Marinade :

**2 oignons coupés en quatre**

**3 gousses d'ail**

**une petite botte de persil**

**1 cuillerée à soupe de gingembre en poudre**

**1 cuillerée à café de curcuma en poudre**

**une pincée de filaments de safran écrasés**

**3 cuillerées à soupe d'huile d'olive**

**jus d'un citron**

# tajine de poulet à la courge et aux patates douces

2 cuillerées à soupe d'huile d'olive

poulet de 1,5 kg, découpé
en 8 morceaux

2 gros oignons finement hachés

4 gousses d'ail écrasées

2 bâtons de cannelle partagés
en deux

500 g de patates douces détaillées
en petits dés

500 g de courge (ou de potiron)
détaillée en petits dés

une petite poignée de persil
et de menthe hachés

30 cl de bouillon de volaille
ou de légumes

sel et poivre

amandes effilées, pour garnir

*La courge et la patate douce accompagnées d'une seule épice, la cannelle, s'associent à merveille pour composer un tajine à la saveur très douce. On réservera un peu de persil et de menthe pour les ajouter en fin de cuisson et dynamiser le goût ; les amandes effilées apportent un contraste de texture.*

**1** Chauffez l'huile dans une grande cocotte à fond épais. Ajoutez le poulet et faites-le dorer. Retirez-le de la cocotte et réservez-le au chaud. Mettez les oignons dans la cocotte et faites-les revenir jusqu'à ce qu'ils soient fondants ; ajoutez l'ail et la cannelle en fin de cuisson.

**2** Ajoutez les patates douces et la courge (ou le potiron), puis remettez le poulet dans la cocotte. Ajoutez la moitié du persil et de la menthe puis versez le bouillon. Couvrez et laissez frémir pendant 45 minutes environ jusqu'à ce que les légumes et le poulet soient fondants.

**3** Salez et poivrez puis ajoutez le reste de menthe et de persil. Parsemez d'amandes et servez.

**Pour 4 personnes**

# tajine de poulet au riz et aux pois chiches

125 g de pois chiches,
mis à tremper la veille et égouttés

jus d'un citron

une pincée de filaments de safran
écrasés

2 cuillerées à soupe d'huile d'olive

4 cuisses de poulet entières

2 gros oignons hachés

2 gros poivrons rouges, épépinés
et émincés dans la longueur

3 gousses d'ail écrasées

1 piment rouge , épépiné et haché

1 ½ cuillerée à café de cumin

1 ½ cuillerée à café de coriandre

tiges d'une botte de coriandre,
hachées

1 citron bien mûr à écorce fine,
émincé

175 g de riz blanc long

50 cl de bouillon de poule

125 g d'olives vertes et noires
dénoyautées

sel et poivre

feuilles d'une botte de coriandre,
pour garnir

*Le mode de cuisson traditionnel du riz dans un tajine consiste à le mettre dans un sac en étamine. Ainsi, le riz absorbe le jus de cuisson parfumé sans adhérer au fond de la cocotte. Je trouve toutefois que les grains de riz ont tendance à s'amalgamer quand ils cuisent à l'intérieur de la poche, c'est pourquoi je n'utilise pas cette méthode.*

1 Faites cuire les pois chiches pendant 20 minutes dans l'eau bouillante. Égouttez-les.

2 Versez le jus de citron dans un bol, ajoutez le safran et laissez tremper.

3 Chauffez l'huile dans une cocotte à fond épais. Ajoutez les morceaux de poulet et faites-les dorer à feu vif. Transférez-les sur du papier absorbant. Mettez les oignons et les poivrons rouges dans la cocotte et faites-les rissoler à feu vif, en remuant fréquemment. Une fois qu'ils sont dorés, diminuez la flamme et ajoutez l'ail, le piment, le cumin, la poudre et les tiges de coriandre, les rondelles de citron, le riz, les pois chiches, le jus de trempage du safran et le bouillon. Remettez les morceaux de poulet dans la cocotte, chauffez jusqu'au point de frémissement puis couvrez et poursuivez la cuisson une trentaine de minutes à feu doux.

4 Ajoutez les olives, remuez, couvrez et laissez mijoter 30 minutes, jusqu'à ce que les pois chiches, le riz et le poulet soient fondants.

5 Salez et poivrez ; parsemez de feuilles de coriandre avant de servir.

**Pour 4-6 personnes**

# poulet express au citron et aux olives

*J'ai modifié la recette habituelle du poulet au citron et aux olives de façon à l'adapter aux exigences de la vie moderne et à la réaliser plus rapidement. D'une part, ce plat se cuit à feu vif au lieu de mijoter longuement à feu doux, et d'autre part j'ai remplacé les citrons confits par des citrons frais ; la saveur obtenue est différente mais tout aussi délicieuse. Pour la recette authentique, reportez-vous à la page 102.*

**1** Mettez les cuisses de poulet dans un plat. Écrasez l'ail avec une pincée de sel, le cumin, le paprika et du poivre gris du moulin en abondance. Mélangez avec la moitié de l'huile d'olive puis arrosez le poulet de cette sauce et remuez afin que les morceaux soient bien enrobés. Couvrez et laissez mariner pendant 4 heures au maximum dans un endroit frais.

**2** Chauffez le reste d'huile dans une petite cocotte, ajoutez le poulet et faites-le dorer. Retirez-le avec une écumoire et égouttez-le sur du papier absorbant.

**3** Mettez l'oignon dans la cocotte et faites-le dorer, en remuant de temps à autre. Ajoutez le safran et remuez 1 minute, puis remettez le poulet dans la cocotte. Versez le jus de citron et le bouillon, ajoutez les rondelles de citron. Chauffez jusqu'au point de frémissement, ajoutez les olives, couvrez et réglez la flamme afin que le liquide bouillonne très légèrement. Poursuivez la cuisson 15-20 minutes, en remuant deux ou trois fois. Si nécessaire, retirez le poulet de la cocotte, dressez-le sur un plat de service chaud et faites réduire le jus de cuisson jusqu'à obtention d'une sauce onctueuse. Nappez les morceaux de poulet de cette sauce et servez.

**Pour 2 personnes**

6 petites ou 4 grosses cuisses de poulet

2 grosses gousses d'ail

2 cuillerées à café de cumin en poudre

2 cuillerées à café de paprika

4 cuillerées à soupe d'huile d'olive

1 oignon finement haché

1 cuillerée à café de filaments de safran

jus d'un gros citron

25 cl de bouillon de volaille

1 gros citron, détaillé en rondelles

125 g d'olives vertes dénoyautées

sel et poivre

# tajine de poulet aux légumes et aux pois chiches

2 cuillerées à soupe d'huile d'olive

1 oignon doux haché

4 gousses d'ail écrasées

1 piment rouge frais, épépiné et finement haché

1 cuillerée à soupe de rhizome de gingembre frais râpé

1 ½ cuillerée à café de cumin en poudre

1 ½ cuillerée à café de coriandre en poudre

1 cuillerée à café de toute-épice en poudre

4 cuisses de poulet entières

80 cl de bouillon de volaille

1 poivron rouge, épépiné et émincé

1 courgette émincée

2 carottes émincées

400 g de pois chiches cuits

couscous réchauffé, pour servir

coriandre hachée, pour garnir

**1** Chauffez l'huile dans une sauteuse. Ajoutez l'oignon, l'ail, le piment et le gingembre puis faites revenir le tout jusqu'à ce que l'oignon soit fondant et légèrement doré. Ajoutez le cumin, la coriandre et la toute-épice, remuez 1 minute puis ajoutez les morceaux de poulet. Versez le bouillon et chauffez jusqu'au point de frémissement. Couvrez et laissez mijoter une trentaine de minutes.

**2** Ajoutez le poivron rouge, la courgette et les carottes. Couvrez à nouveau et poursuivez la cuisson à feu doux pendant 30 minutes environ, jusqu'à ce que les légumes soient fondants.

**3** Ajoutez les pois chiches et laissez frémir, sans couvrir, pendant 5 minutes.

**4** Préparez un lit de couscous dans un grand plat de service chaud. Mettez les morceaux de poulet au centre. Retirez les légumes avec une écumoire et disposez ceux-ci sur le poulet. Arrosez de jus de cuisson et parsemez de coriandre hachée.

**Pour 4 personnes**

# poulet au safran et aux abricots

400 g de tomates pelées en boîte

1 petit oignon haché

1 gousse d'ail écrasée

200 g d'abricots secs entiers

1 poulet de 1,7 kg , découpé

2 cuillerées à café de cannelle

une pincée de filaments de safran écrasés

3 cuillerées à soupe de jus de citron (en prévoir un peu plus pour parfumer)

2 cuillerées à café d'eau de fleur d'oranger

1 cuillerée à soupe d'huile d'olive

50 g d'abricots secs, émincés

3 cuill. à soupe d'amandes effilées

2 cuillerées à soupe de raisins secs

sel et poivre

*L'eau de fleur d'oranger donne un arôme inhabituel à cette recette. En phase finale, ce plat est un peu plus compliqué à réaliser que la majorité des recettes proposées dans ce livre : les ingrédients et le jus de cuisson sont mixés ensemble pour obtenir une sauce onctueuse. On garnit le plat d'amandes, d'abricots et de raisins secs frits parfumés au citron et à la cannelle.*

**1** Ajoutez un peu d'eau aux tomates et versez la moitié de celles-ci dans une cocotte à fond épais. Ajoutez l'oignon, l'ail et les abricots secs. Mettez les morceaux de poulet dans la cocotte.

**2** Mélangez le reste des tomates avec la cannelle, le safran et le jus de citron et versez le tout sur le poulet. Chauffez jusqu'au point de frémissement puis couvrez et laissez mijoter pendant environ 35 minutes.

**3** Transférez le poulet dans un plat de service chaud, couvrez et réservez au chaud.

**4** Versez le contenu de la cocotte dans un robot ménager et mixez pour obtenir une purée. Passez-la au chinois si vous le souhaitez. Versez cette purée dans une casserole et ajoutez l'eau de fleur d'oranger ; salez et poivrez.

**5** Chauffez l'huile dans une sauteuse, ajoutez les abricots émincés, les amandes et les raisins secs. Remuez bien puis parfumez de jus de citron et de cannelle.

**6** Dressez les morceaux de poulet dans un plat de service chaud, nappez de sauce et parsemez de mélange aux amandes. Servez avec une salade verte.

**Pour 4 personnes**

# poulet aux épices

*Les Marocains préfèrent cuisiner un poulet entier plutôt que des morceaux, alors qu'en Europe, c'est souvent le contraire. J'ai donc légèrement modifié la recette pour l'adapter à la cuisine occidentale et transformer un simple poulet en un plat extrêmement savoureux.*

**1** Mélangez le paprika, le cumin, le curcuma, le piment de Cayenne, l'ail, le sel et le poivre avec le jus de citron. Badigeonnez les morceaux de poulet de cette sauce, passez sous la peau par endroits. Couvrez et laissez reposer pendant 3 heures dans un endroit frais.

**2** Disposez les morceaux de poulet, peau dessous, dans un plat à feu en terre cuite ; arrosez du jus recueilli et d'huile. Faites cuire 20-25 minutes environ au four préchauffé à 200 °C, en arrosant de jus de temps à autre, jusqu'à ce que la chair de la volaille soit moelleuse.

**3** Transférez le poulet dans un plat de service chaud et réservez au chaud. Dégraissez le jus de cuisson et faites-le bouillir jusqu'à obtention d'une sauce onctueuse. Nappez le poulet de cette sauce.

**Pour 4 personnes**

**1 ½ cuillerée à soupe de paprika**

**1 cuillerée à soupe de cumin en poudre**

**1 ½ cuillerée à café de curcuma en poudre**

**½ cuillerée à café de piment de Cayenne**

**3 gousses d'ail écrasées**

**6 cuillerées à soupe de jus de citron**

**4-8 morceaux de poulet (selon la taille)**

**3 cuillerées à soupe d'huile d'olive**

**sel et poivre**

**1 cuillerée à soupe d'huile d'olive**

**4 portions de poulet**

**1 oignon doux haché**

**2 gousses d'ail écrasées**

**1 cuillerée à café de cannelle en poudre**

**une grosse pincée de filaments de safran écrasés**

**50 g d'amandes entières, mondées**

**125 g d'abricots secs**

**25 g de raisins secs**

**60 cl de bouillon de volaille**

**sel et poivre**

# poulet aux amandes, abricots et raisins

**1** Chauffez l'huile dans une cocotte à fond épais. Ajoutez les morceaux de poulet et faites-les dorer. Transférez-les dans un plat. Mettez l'oignon et l'ail dans la cocotte et faites-les revenir jusqu'à ce qu'ils soient fondants. Incorporez la cannelle pendant 1 minute.

**2** Ajoutez le safran, les amandes, les abricots, les raisins secs et le bouillon. Chauffez le tout jusqu'au point de frémissement puis couvrez la cocotte et poursuivez la cuisson à feu doux pendant 1 heure. Le poulet doit rendre un jus clair lorsque vous piquez sa chair en profondeur avec un couteau. Salez et poivrez avant de servir.

**Pour 4 personnes**

# poulet de Rabat aux oranges

*J'ai adapté une recette traditionnelle de Rabat qui nécessitait de pocher le poulet dans un liquide relevé aromatisé à la tomate et ensuite de le faire dorer dans une importante quantité de beurre. On a épaissi le jus de cuisson avec des foies de poulet puis on l'a fait bouillir jusqu'à obtention d'une sauce onctueuse. Cette version simplifiée, moins grasse, convient mieux aux goûts culinaires actuels.*

**1** Mettez 2 quartiers d'orange à l'intérieur du poulet. Salez et poivrez la volaille, badigeonnez-la d'huile et placez-la sur un côté dans un grand plat à feu. Faites-la cuire une vingtaine de minutes dans un four préchauffé à 200 °C (th. 6-7).

**2** Chauffez le reste d'huile dans une sauteuse, ajoutez l'oignon, l'ail, le cumin, le gingembre et la cannelle ; faites revenir, en remuant fréquemment, jusqu'à ce que l'oignon soit moelleux. Ajoutez le safran, le bouillon, les tomates, les amandes, le miel ; portez le tout à ébullition et laissez frémir 3-4 minutes.

**3** Tournez le poulet de l'autre côté. Ajoutez les quartiers d'orange restants et la sauce tomate. Poursuivez la cuisson une vingtaine de minutes puis mettez la volaille sur le dos et faites-la rôtir 35 minutes environ. La volaille est cuite si elle rend un jus clair lorsqu'on la pique en profondeur avec un couteau.

**Pour 4-6 personnes**

2 grosses oranges bien parfumées, pelées et divisées en quartiers

un poulet de 1,5 kg

3 cuillerées à soupe d'huile d'olive

1 oignon émincé

2 gousses d'ail écrasées

2 cuillerées à café de graines de cumin

2,5 cm de rhizome de gingembre frais, pelé et râpé

1 bâton de cannelle

une pincée de filaments de safran écrasés

30 cl de bouillon de volaille

4 grosses tomates pelées et hachées

125 g d'amandes entières mondées, grillées

3 cuillerées à soupe de miel liquide

sel et poivre

# bastilla

*Aucun livre de cuisine marocaine ne serait complet sans une recette de bastilla . C'est l'un des plats les plus prestigieux du Maroc, assez compliqué à préparer. Tout d'abord, elle doit être confectionnée avec de la ouarka (voir page 8), une pâte fine, presque transparente, ce qui rebute la plupart des cuisinières. La farce est à base de caille, de pigeon ou de poulet qui sont découpés après la cuisson. La bastilla se sert très chaude en entrée : pour la savourer, on plonge le pouce et les deux premiers doigts de la main droite dans la croûte de pâte et la farce fumante puis on porte rapidement le morceau à la bouche.*

**1** Mettez le poulet dans une cocotte avec l'oignon, le gingembre, le safran, la coriandre, une cuillerée à café de cannelle, le persil, du sel et du poivre. Ajoutez suffisamment d'eau pour couvrir la volaille, mettez un couvercle et laissez mijoter à feu doux pendant 45 minutes jusqu'à ce que le poulet soit moelleux.

**2** Transférez le poulet dans un plat. Faites bouillir le jus de cuisson jusqu'à obtention d'une sauce épaisse.

**3** Une fois le poulet partiellement refroidi, dépouillez-le et désossez-le. Hachez grossièrement la chair.

**4** Battez les œufs et le beurre avec la moitié du jus de cuisson et faites-les cuire en remuant constamment jusqu'à ce qu'ils soient brouillés.

**5** Grillez les amandes à sec dans une sauteuse. Ajoutez le reste de cannelle et le sucre.

**6** Sur une plaque de four, confectionnez un carré de pâte de 45 cm de côté environ. Superposez plusieurs feuilles de brick, préalablement badigeonnées d'huile, en les faisant se chevaucher. Étalez le reste du jus de cuisson en formant un cercle de 18 cm de diamètre au centre de la pâte. Garnissez d'œufs brouillés puis de poulet haché et d'amandes. Repliez les côtés du carré de pâte pour enfermer la farce.

**7** Faites cuire la bastilla pendant 25-30 minutes dans un four préchauffé à 200 °C (th. 6-7), jusqu'à ce que la pâte soit dorée et croustillante.

**8** Pour servir, parsemez de sucre glace tamisé et saupoudrez de cannelle en dessinant un quadrillage si vous le souhaitez.

**Pour 6 personnes**

1 petit poulet

1 gros oignon finement haché

2 cuillerées à café de rhizome de gingembre frais râpé

une bonne pincée de filaments de safran écrasés

3 cuillerées à soupe de coriandre fraîche hachée

1 ½ cuillerée à café de cannelle en poudre

3 cuillerées à soupe de persil frais haché

4 œufs

25 g de beurre doux

75 g d'amandes mondées, hachées

2 cuillerées à café de sucre

300 g de feuilles de brick

huile d'olive

sel et poivre

Pour servir :

sucre glace

cannelle en poudre (facultatif)

# poulet
# aux amandes

*Pour donner une certaine consistance à cette sauce marocaine simple et légèrement épicée, on ajoute en début de cuisson de l'oignon et des amandes finement hachés ; ainsi, ils ont le loisir de s'attendrir en cours de cuisson.*

**1** Pressez le citron sur le poulet et enduisez-le bien de jus, salez et poivrez. Mélangez le gingembre, la cannelle et le safran et badigeonnez le poulet de cette mixture. Couvrez et laissez reposer à température ambiante pendant 1 heure environ.

**2** Mettez les quarts de poulet dans une cocotte à fond épais. Ajoutez l'oignon et les amandes et couvrez d'eau. Portez au seuil du frémissement, couvrez puis laissez mijoter pendant 45-60 minutes en tournant le poulet de temps en temps. Ajoutez le persil et poursuivez la cuisson 5 minutes.

**3** Transférez les morceaux de poulet dans un plat chaud, couvrez et réservez au chaud. Faites bouillir le jus de cuisson dans la cocotte afin d'obtenir une sauce goûteuse, en ajoutant si nécessaire des épices, du sel et du poivre. Remettez les morceaux de poulet dans la cocotte et tournez-les plusieurs fois pour bien les enrober de sauce.

**Pour 4 personnes**

**1 citron, coupé en deux**

**4 quarts de poulet**

**½ cuillerée à café de gingembre en poudre**

**½ cuillerée à café de cannelle en poudre**

**une pincée de filaments de safran grillés et écrasés**

**1 oignon doux finement haché**

**125 g d'amandes mondées, hachées**

**feuilles d'une grosse botte de persil finement hachées**

**sel et poivre**

# poulet
# à la coriandre
# et au citron

*J'adore ce plat simple et léger ; le poulet est succulent et moelleux, que demander de plus ?*

**1** Mettez les blancs de poulet dans un saladier en verre ou en terre cuite. Ajoutez le zeste et le jus de citron, puis la cardamome, le cumin, la coriandre et l'ail. Couvrez et réfrigérez pendant 24 heures, en remuant de temps à autre.

**2** Chauffez l'huile dans une grande cocotte. Ajoutez l'oignon et faites-le fondre. Disposez les blancs de poulet sur le lit d'oignon haché. Rincez le saladier avec un peu de bouillon et versez-le sur le poulet. Ajoutez le reste de bouillon et la coriandre, salez et poivrez.

**3** Chauffez jusqu'au point de frémissement, couvrez et pochez le poulet pendant une quarantaine de minutes, en le retournant deux fois. S'il est cuit, il doit rendre un jus clair quand vous le piquez profondément de la lame d'un couteau.

**4** Retirez les morceaux de volaille et dressez-les sur un plat de service chaud. Si nécessaire, portez le jus de cuisson à ébullition pour l'épaissir puis servez-le avec le poulet accompagné de riz ou de pain.

**Pour 4 personnes**

4 blancs de poulet

zeste râpé et jus d'un citron

graines de 6 gousses de cardamome, grillées et écrasées

½ cuillerée à café de cumin en poudre

½ cuillerée à café de coriandre en poudre

1 gousse d'ail écrasée

2 cuillerées à soupe d'huile d'olive

1 oignon finement haché

50 cl de bouillon de volaille

une botte de coriandre

sel et poivre

riz ou pain, pour servir

# poulet aux olives et au citron confit

2 cuillerées à soupe d'huile d'olive

1 oignon doux finement haché

3 gousses d'ail

1 cuillerée à café de gingembre en poudre

1 ½ cuillerée à café de cannelle en poudre

une grosse pincée de filaments de safran grillés et écrasés

1 poulet de 1,7 kg environ

75 cl de bouillon de volaille (ou d'eau)

125 g d'olives marocaines violettes, rincées et mises à tremper si vous le souhaitez

1 citron confit (voir ci-dessous), rincé si vous le souhaitez, haché

une grosse botte de coriandre finement hachée

une grosse botte de persil finement hachée

sel et poivre

feuilles de persil grossièrement hachées, pour garnir

*C'est un des plats marocains les plus répandus. Si vous utilisez des citrons frais, vous obtiendrez un goût totalement différent.*

**1** Chauffez l'huile, ajoutez l'oignon et faites-le revenir à feu doux ; il doit prendre une couleur dorée.

**2** Pendant ce temps-là, dans un mortier, écrasez l'ail avec une pincée de sel, puis incorporez le gingembre, la cannelle, le safran et un peu de poivre. Ajoutez ce mélange à l'oignon, laissez mijoter jusqu'à ce que les épices exhalent leur parfum, retirez de la sauteuse et étalez cette pommade sur le poulet.

**3** Mettez le poulet dans une sauteuse ou une cocotte, ajoutez le bouillon ou l'eau et portez au seuil du frémissement. Couvrez et laissez mijoter pendant 1 ¼ heure environ, en tournant le poulet deux ou trois fois.

**4** Ajoutez les olives, le citron confit, la coriandre et le persil dans la sauteuse, couvrez et poursuivez la cuisson 15 minutes jusqu'à ce que le poulet soit moelleux. Goûtez la sauce – si vous préférez une saveur plus corsée, transférez le poulet dans un plat de service chaud, puis portez le jus de cuisson à ébullition jusqu'à obtention d'une sauce onctueuse. Inclinez la sauteuse, retirez le gras et nappez le poulet de cette sauce. Servez la volaille garnie de persil haché.

**Pour 4 personnes**

# citrons confits

Pour confire des citrons : mettez 2 cuillerées à café de gros sel dans un bocal ébouillanté. En tenant le citron au-dessus d'une assiette pour recueillir le jus, coupez-le en quatre dans la longueur sans aller jusqu'au bout ; les quartiers doivent rester reliés entre eux. Retirez les pépins. Insérez 1 cuillerée à soupe de sel dans les fentes, refermez-les et glissez le citron dans le bocal. Répétez l'opération avec les autres citrons, tassez-les bien en pressant fortement sur chaque couche pour ajouter la suivante, jusqu'à ce que le bocal soit plein. Pressez un autre citron et versez le jus sur les fruits. Parsemez de gros sel et couvrez les citrons d'eau bouillante. Fermez le bocal et conservez-le dans un endroit chaud pendant 3-4 semaines. Ne vous inquiétez pas si une pellicule blanche apparaît sur les citrons au bout d'une période de stockage plus longue ; elle ne présente aucun danger, il suffira simplement de rincer les citrons à l'eau avant usage.

# poulet persillé grillé

*Voici un autre exemple de plat avec lequel je me suis souvent régalée dans la rue lors de mes séjours au Maroc. Pour lui ajouter une note ardente, mettez un peu d'harissa dans la pommade que l'on étale sur le poulet (voir page 80) ou bien directement sur les morceaux de volaille. On peut également utiliser des blancs, qui sont excellents servis froids.*

4 gousses d'ail

4 cuillerées à soupe d'huile d'olive

1 ½ cuillerée à soupe de coriandre en poudre

1 cuillerée à soupe de cumin en poudre

1 cuillerée à café de paprika

3 cuillerées à soupe de persil haché

3 cuillerées à soupe de jus de citron

8 gros pilons ou cuisses de poulet

sel

feuilles de coriandre, pour garnir

**1** Écrasez l'ail avec une pincée de sel puis mélangez avec l'huile, la coriandre, le cumin, le paprika, le persil et le jus de citron pour obtenir une pommade. Enduisez les morceaux de poulet de cette pâte puis couvrez et laissez reposer dans un endroit frais pendant 30 minutes à 2 heures.

**2** Mettez les morceaux de poulet sur un barbecue préchauffé ou 10 cm au-dessous d'un gril préchauffé et faites-les cuire environ 20 minutes en les tournant de temps en temps ; le poulet cuit rend un jus clair lorsqu'on le pique en profondeur avec la lame d'un couteau. Parsemez de feuilles de coriandre et servez.

**Pour 4 personnes**

# tajine de poulet au miel

1 cuillerée à soupe d'huile d'olive

4 portions de poulet

1 oignon haché

2 gousses d'ail écrasées

1 cuillerée à café de cannelle en poudre

½ cuillerée à café de gingembre en poudre

environ 2 cuillerées à soupe de jus de citron

2 cuillerées à soupe de miel liquide

25 cl de bouillon de poule

50 g de raisins secs

50 g d'amandes effilées

sel et poivre

brins de persil, pour garnir

**1** Chauffez l'huile dans une cocotte à fond épais. Ajoutez les morceaux de poulet et faites-les dorer uniformément. Transférez-le dans un plat.

**2** Mettez l'oignon et l'ail dans la cocotte et faites-les revenir jusqu'à ce qu'ils soient fondants mais non dorés.

**3** Ajoutez la cannelle et le gingembre, remuez 1 minute puis remettez le poulet dans la cocotte. Ajoutez le jus de citron, le miel et le bouillon. Chauffez jusqu'au point de frémissement puis couvrez et faites cuire à feu doux pendant environ 1 heure.

**4** Dressez les morceaux de poulet dans un plat de service chaud, couvrez et réservez au chaud. Ajoutez les raisins secs et les amandes au contenu de la cocotte puis portez à ébullition jusqu'à obtention d'un jus légèrement sirupeux. Assaisonnez de sel, de poivre et de jus de citron. Nappez le poulet de cette sauce, garnissez de persil et servez.

**Pour 4 personnes**

# dinde glacée au miel

*Au Maroc, la dinde se cuisine pour les grandes occasions : sa chair offre une saveur raffinée qui sait flatter nos palais. Le glaçage au miel est typique et donne une peau délicieusement croustillante de couleur brun doré.*

**1** Étalez les amandes et les graines de sésame sur une plaque métallique et faites-les griller une dizaine de minutes dans un four préchauffé à 180 °C (th. 6), en les remuant de temps en temps.  Réservez.

**2** Pendant ce temps, mélangez le cumin, la coriandre, la cannelle, le gingembre et les clous de girofle en poudre ; salez et poivrez. Enduisez la peau et l'intérieur de la dinde de ce mélange d'épices. Piquez les clous de girofle dans l'oignon, glissez celui-ci dans la volaille puis fermez l'ouverture avec du fil de cuisine fin.

**3** Posez la dinde dans un plat de four et étalez le beurre sur la peau. Incorporez la moitié du bouillon au miel. Détaillez les abattis en morceaux et mettez-les dans le plat avec les bâtons de cannelle. Versez le mélange au miel sur la volaille puis faites rôtir celle-ci pendant 2 ½-3 heures, jusqu'à ce qu'elle rende un jus clair quand on la pique profondément avec une brochette. Tournez la volaille tout d'abord sur un côté, puis sur l'autre, à intervalles réguliers, et badigeonnez fréquemment sa peau du mélange miel/bouillon. Lorsque celle-ci commence à être dorée, ajoutez le reste du bouillon.

**4** Environ 30 minutes avant de servir la dinde, retirez-la de son plat. Passez le jus de cuisson dans une saucière, retirez la graisse. Si vous recueillez plus de 25 cl de jus, faites-le réduire. Incorporez le mélange aux amandes.

**5** Remettez la dinde dans le plat de four. Enduisez-la de glaçage puis poursuivez la cuisson, en la badigeonnant fréquemment, jusqu'à ce que la peau soit croustillante et dorée.

**6** Transférez la volaille sur une planche à découper, arrosez du reste de jus, couvrez et réservez dans un endroit chaud pendant 10-15 minutes avant de passer au découpage.

**Pour 8-10 personnes**

---

200 g d'amandes mondées, très finement hachées

2 cuillerées à soupe de graines de sésame

1 cuillerée à soupe de cumin en poudre

1 cuillerée à soupe de coriandre en poudre

2 cuillerées à soupe de cannelle en poudre

2 cuillerées à café de gingembre en poudre

1 cuillerée à café de clous de girofle en poudre

une dinde de 5 kg avec les abattis

5 clous de girofle entiers

1 oignon pelé

25 g de beurre ramolli

50 cl de bouillon de volaille

15 cl de miel liquide

2 bâtons de cannelle

sel et poivre

# pigeons
# aux kumquats

*Dans les pays où la viande rouge est assez rare, les pigeons sont très appréciés. Chaque année, des milliers et des milliers d'oiseaux survolent la Méditerranée et migrent vers les contrées chaudes, chassés par l'arrivée du froid. Beaucoup, en particulier les cailles et les pigeons, jouent de malchance et tombent sous le feu des chasseurs pour finir dans la marmite. Si vous ne trouvez pas de kumquats, ajoutez 2 oranges pelées et coupées en épaisses rondelles lorsque le jus de cuisson a presque fini de réduire.*

**1** Chauffez l'huile dans une grande cocotte, ajoutez les pigeons en plusieurs fois et faites-les dorer. Avec une écumoire, transférez-les dans un plat. Mettez les oignons dans la cocotte et faites-les dorer. Incorporez la cannelle, le laurier, le gingembre, le safran, le bouillon, le sel et le poivre, puis portez à ébullition.

**2** Remettez les pigeons dans la cocotte avec le jus recueilli dans le plat et couvrez. Laissez mijoter les pigeons 45 minutes environ en les tournant de temps en temps ; leur chair doit être moelleuse.

**3** Ajoutez les kumquats et le miel, couvrez et poursuivez la cuisson pendant 30-45 minutes. Avec une écumoire, transférez les pigeons dans un grand plat de service chaud, couvrez et réservez au chaud.

**4** Portez le jus de cuisson à ébullition pour l'épaissir un peu. Retirez la cannelle et le laurier si vous le souhaitez. Servez les pigeons nappés de sauce et parsemés d'amandes.

**Pour 6 personnes**

3 cuillerées à soupe d'huile d'olive

6 jeunes pigeons prêts à cuire

250 g de petits oignons ronds, pelés

1 bâton de cannelle

1 feuille de laurier

1 cuillerée à café de gingembre frais râpé

une grosse pincée de filaments de safran grillés et écrasés

1 l de bouillon de volaille

250 g de kumquats coupés en deux

2 cuillerées à soupe de miel liquide

sel et poivre

amandes légèrement grillées, pour garnir

# céréales et légumineuses

Le blé est la principale céréale. Il est transformé en farine qui sert à la confection du pain et des gâteaux, mais la semoule qui reste une fois que l'on a retiré les grains les plus fins est à son tour transformée en boulettes de couscous (voir page 7). Le riz est servi avec des mets salés et sucrés. Les pois chiches sont les légumineuses préférées des Marocains ; les cuisinières prennent souvent la peine de retirer l'enveloppe extérieure pour recueillir le grain tendre qui se trouve à l'intérieur. Il suffit de faire tremper les pois chiches cuits dans un grand saladier rempli d'eau froide et de les frotter les uns contre les autres entre les doigts – la peau se détache aisément. En remettant les pois chiches dans l'eau, les peaux flotteront à la surface et vous n'aurez plus qu'à les retirer avant d'égoutter les pois.

# riz aux tomates, aux avocats et aux olives noires

*Servez froid ou chaud ce joli mélange de riz blanc égayé de vert vif, de vert pâle, de noir et de rouge. Il se marie bien avec les fruits de mer ; personnellement, je l'ai servi avec des sardines fraîches et des quartiers de citron.*

4 cuillerées à soupe d'huile d'olive

1 petit oignon finement haché

2 belles gousses d'ail écrasées

250 g de riz basmati

50 cl de bouillon de légumes

1 tomate bien mûre, épépinée
et coupée en dés

2 oignons frais hachés

2 cuillerées à soupe de persil haché

50 g d'olives noires dénoyautées

1 petit avocat coupé en dés

sel et poivre

**1** Chauffez 2 cuillerées à soupe d'huile dans une sauteuse. Ajoutez l'oignon et l'ail, faites-les revenir 1 minute. Ajoutez le riz, remuez 2 minutes puis ajoutez le bouillon et portez à ébullition. Remuez, couvrez et laissez frémir sans soulever le couvercle, pendant 12 minutes, jusqu'à ce que le riz soit moelleux.

**2** Pendant ce temps, chauffez le reste d'huile dans une sauteuse. Ajoutez la tomate, les oignons frais, le persil, le sel et le poivre et laissez mijoter 5 minutes. Retirez du feu puis incorporez les olives et l'avocat.

**3** Aérez le riz en le remuant à la fourchette avant d'incorporer le mélange à la tomate.

**Pour 4 personnes**

# salade de couscous, de pois chiches et crevettes

*À l'origine, cette recette était celle d'un plat chaud pour lequel on réchauffait le couscous au-dessus des pois chiches en train de cuire. Les crevettes étaient ajoutées aux pois chiches en fin de cuisson. Cette version, beaucoup plus simple, offre une intéressante combinaison de saveurs et de consistances.*

**1** Pour préparer la sauce, fouettez ensemble l'huile et le jus de citron. Ajoutez le sucre et le paprika ; salez et poivrez à volonté.

**2** Mélangez le couscous avec les pois chiches, les crevettes, les oignons frais, les tomates et la menthe. Nappez de sauce et remuez pour bien mélanger. Servez avec des quartiers de citron.

**Pour 4 personnes**

**200 g de couscous cuit**

**400 g de pois chiches en boîte, égouttés et rincés**

**500 g de crevettes cuites décortiquées**

**2 oignons frais émincés**

**3 tomates mûries au soleil, épépinées et hachées**

**une botte de menthe hachée**

**quartiers de citron, pour servir**

Sauce :

**6 cuillerées à soupe d'huile d'olive**

**3 cuillerées à soupe de jus de citron**

**une pincée de sucre semoule**

**paprika**

**sel et poivre**

# couscous vert

*Ce mélange de couscous, de roquette, de concombre et d'oignons frais compose un plat d'accompagnement attrayant qui s'harmonise à merveille avec la viande et les tajines de fruits. Si vous ne trouvez pas de roquette, remplacez-la par du cresson.*

**1** Fouettez ensemble l'huile et le jus de citron. Assaisonnez de sel et de poivre.

**2** Versez le couscous dans un plat de service chaud. Incorporez les oignons nouveaux, la roquette, le concombre ainsi que la sauce composée d'huile et de citron. Servez immédiatement.

**Pour 6 personnes**

**30 cl d'huile d'olive**

**15 cl de jus de citron**

**500 g de couscous cuit**

**2 bottes d'oignons nouveaux hachés**

**125 g de roquette hachée**

**1 concombre coupé en deux, épépiné et haché**

**sel et poivre**

# couscous pilaf au poivron

**1** Chauffez l'huile dans une sauteuse, ajoutez l'oignon et faites-le revenir jusqu'à ce qu'il soit fondant. Incorporez l'ail, le piment et les poivrons. Poursuivez la cuisson 3-4 minutes, assaisonnez de paprika et laissez cuire encore 1 minute.

**2** Ajoutez le couscous, remuez bien puis arrosez de bouillon fumant. Portez à ébullition puis laissez mijoter, sans couvrir, pendant environ 15 minutes, jusqu'à ce que la semoule ait absorbé la presque totalité du bouillon et que les poivrons soient tendres; si vous trouvez le couscous trop sec, ajoutez un peu de bouillon ou d'eau.

**3** Pour servir, salez et poivrez, puis incorporez la coriandre.

**Pour 2 personnes en dîner léger ou pour 4 personnes en accompagnement**

3 cuillerées à soupe d'huile d'olive

1 oignon rouge finement haché

2 belles gousses d'ail écrasées

1 piment rouge frais, épépiné et finement haché

1 poivron rouge, épépiné et coupé en 8 morceaux dans la longueur

1 poivron jaune, épépiné et coupé dans la longueur en 8 morceaux

paprika

250 g de semoule pour couscous

30 cl de bouillon de légumes fumant

une petite poignée de feuilles de coriandre hachées

sel

# couscous pilaf au potiron

**1** Mettez le couscous dans un saladier. Arrosez d'eau et laissez gonfler 15 minutes. Ajoutez le safran au bouillon et réservez.

**2** Chauffez 3 cuillerées à soupe d'huile dans une sauteuse. Ajoutez l'oignon et faites-le revenir jusqu'à ce qu'il soit transparent, puis ajoutez le potiron et faites rissoler le tout.

**3** Égouttez le couscous et mettez-le dans la sauteuse avec l'eau parfumée au safran, le zeste de citron, la cannelle, le laurier, le sel et le poivre. Portez à ébullition puis laissez mijoter, sans couvrir, jusqu'à évaporation de la majeure partie du liquide.

**4** Pendant ce temps-là, chauffez le reste d'huile dans une sauteuse, ajoutez les amandes et faites-les dorer en remuant fréquemment.

**5** Si vous le souhaitez, retirez la cannelle, le laurier et le zeste de citron du pilaf puis ajoutez les amandes et remuez à la fourchette. Garnissez de menthe ou d'aneth et servez.

**Pour 4 personnes**

150 g de couscous

20 cl d'eau

½ cuillerée à café de filaments de safran

25 cl de bouillon de légumes

4 cuillerées à soupe d'huile d'olive

1 oignon finement haché

400 g de potiron coupé en dés

une longue lanière de zeste de citron

1 bâton de cannelle

2 feuilles de laurier

125 g d'amandes effilées

sel et poivre

brins de menthe ou d'aneth, pour garnir

# aubergines et couscous aux fruits

*Les aubergines émincées sont grillées et servies sur un couscous délicieusement parfumé et parsemé de fruits frais ; on peut proposer cet assortiment en plat principal ou bien en accompagnement de viandes ou de volailles rôties ou grillées.*

**1** Saupoudrez les tranches d'aubergines de sel et laissez reposer environ 1 heure dans une passoire. Rincez à l'eau froide et essuyez bien.

**2** Pendant ce temps, chauffez l'huile, ajoutez le mélange d'épices, la cannelle, la coriandre et le cumin, puis remuez 1 minute environ. Ajoutez les pignons et le sucre, remuez 1 minute de plus puis ajoutez les raisins secs, les dattes, les groseilles à maquereau, le bouillon, la coriandre et le jus de citron. Portez à ébullition. Incorporez le couscous, couvrez et retirez du feu. Laissez reposer en remuant toutes les 3 minutes, jusqu'à ce que la semoule gonfle (elle restera chaude une trentaine de minutes).

**3** Pour préparer la sauce, chauffez l'huile, ajoutez l'oignon et faites-le fondre et légèrement dorer ; ajoutez l'ail lorsque l'oignon est presque prêt. Incorporez le mélange d'épices et la cannelle puis remuez 1 minute. Ajoutez le bouillon et les abricots, laissez mijoter une vingtaine de minutes.

**4** Badigeonnez d'huile les tranches d'aubergine et faites-les cuire au gril, jusqu'à ce qu'elles soient moelleuses et dorées. Assaisonnez de sel et de poivre.

**5** Pour servir, salez et poivrez le couscous et transférez-le dans un plat chaud. Nappez-le d'une partie de la sauce, disposez les tranches d'aubergine sur le couscous, garnissez de brins de menthe. Servez le reste de la sauce séparément.

**Pour 4 personnes**

2 aubergines, coupées dans la longueur en tranches de 1 cm d'épaisseur

4 cuillerées à soupe d'huile d'olive

1 cuill. à soupe d'épices mélangées

1 cuillerée à café de cannelle

1 cuillerée à café de coriandre

1 cuillerée à café de cumin en poudre

2 cuill. à soupe de pignons de pin

1 cuillerée à soupe de cassonade

50 g de raisins secs

50 g de dattes fraîches dénoyautées et hachées

100 g de groseilles à maquereau coupées en deux

50 cl de bouillon de légumes ou de volaille

2 cuillerées à soupe de coriandre fraîche hachée

1 cuillerée à soupe de jus de citron

300 g de couscous

sel et poivre

brins de menthe, pour garnir

Sauce :

2 cuillerées à soupe d'huile d'olive

1 petit oignon finement haché

1 gousse d'ail écrasée

1 cuillerée à soupe de mélange d'épices

1 cuillerée à café de cannelle en poudre

30 cl de bouillon de légumes

50 g d'abricots secs hachés

# salade de riz et de couscous aux fruits secs

**1** Mettez la semoule dans un saladier et arrosez-la d'eau bouillante. Laissez-la gonfler une quinzaine de minutes, jusqu'à absorption de l'eau, en l'aérant de temps en temps avec une fourchette.

**2** Pendant ce temps, faites cuire le riz 12-15 minutes dans une grande casserole d'eau bouillante, jusqu'à ce qu'il soit moelleux.

**3** Pour préparer la sauce, fouettez ensemble l'huile, le jus de citron et le vinaigre, puis salez et poivrez à votre convenance.

**4** Chauffez l'huile dans une sauteuse. Ajoutez le piment, l'ail, les amandes et les pignons. Faites revenir le tout, en remuant, jusqu'à ce que les pignons soient dorés.

**5** Égouttez le riz et transférez-le dans un grand saladier de service. Remuez-le à la fourchette pour l'aérer puis incorporez le couscous, le mélange d'amandes et de pignons, les abricots, les raisins secs, la menthe, le persil et la sauce.

**Pour 4 personnes**

**250 g de semoule pour couscous**

**50 cl d'eau bouillante**

**200 g de riz long**

**2 cuillerées à soupe d'huile d'olive**

**1 piment rouge frais, épépiné et finement haché**

**1 belle gousse d'ail écrasée**

**125 g d'amandes mondées, grossièrement hachées**

**4 cuillerées à soupe de pignons**

**125 g d'abricots secs grossièrement hachés**

**25 g de gros raisins secs**

**6 cuillerées à soupe de menthe et de persil hachés**

Sauce :

**15 cl d'huile d'olive**

**4 cuillerées à soupe de jus de citron mélangé à du vinaigre blanc**

**sel et poivre**

# pois chiches
# aux tomates
# et aux épinards

**1** Mettez les aubergines dans une passoire, parsemez de sel et laissez reposer 1 heure. Rincez-les à l'eau froide et essuyez-les avec du papier absorbant.

**2** Chauffez l'huile dans une grande sauteuse ; faites cuire les aubergines jusqu'à ce qu'elles soient dorées à l'extérieur et moelleuses à l'intérieur, retirez de la sauteuse avec une écumoire et égouttez-les sur du papier absorbant.

**3** Si nécessaire, ajoutez un peu d'huile dans la sauteuse. Lorsqu'elle est chaude, faites revenir l'oignon. Lorsqu'il est doré et moelleux, ajoutez l'ail, le gingembre, puis le piment en fin de cuisson. Incorporez le cumin et la coriandre, poursuivez la cuisson 30 secondes puis remettez les aubergines et ajoutez les pois chiches, les tomates avec leur jus, ainsi que l'eau. Laissez mijoter une quinzaine de minutes.

**4** Ajoutez les épinards et un peu plus d'eau si nécessaire, portez à ébullition puis poursuivez la cuisson 1-2 minutes, jusqu'à ce que les épinards commencent à se flétrir. Salez et poivrez puis servez.

**Pour 4 personnes**

**3 aubergines, coupées en dés de 2,5 cm**

**environ 4 cuillerées à soupe d'huile d'olive**

**1 oignon, haché**

**4 gousses d'ail, écrasées**

**1 cm de rhizome de gingembre frais, pelé et râpé**

**1 piment rouge frais, épépiné et haché**

**2 cuillerées à café de cumin en poudre**

**2 cuillerées à café de coriandre en poudre**

**800 g de pois chiches en boîte, égouttés et rincés**

**800 g de tomates pelées en conserve**

**15 cl d'eau**

**500 g de jeunes épinards**

**sel et poivre**

# tajine de haricots

**1** Faites bouillir pendant 10 minutes les haricots dans de l'eau non salée puis égouttez-les. Nouez ensemble le céleri, le laurier et le persil avec du fil de cuisine. Couvrez les haricots d'eau froide non salée, ajoutez le bouquet de céleri et d'herbes et laissez cuire 1 heure à feu doux, jusqu'à ce que les haricots soient fondants. Égouttez, réservez le jus de cuisson et retirez le bouquet de céleri et d'herbes.

**2** Pendant ce temps, préparez la sauce. Videz les tomates et leur jus dans une casserole, ajoutez l'huile, le persil et le sucre puis portez à ébullition. Ensuite, laissez mijoter une vingtaine de minutes, sans couvrir, afin que la sauce épaississe.

**3** Chauffez l'huile dans une cocotte à fond épais. Ajoutez l'oignon, l'ail, les piments, les poivrons rouges et le paprika, laissez mijoter le tout pendant 5 minutes. Incorporez les haricots, la sauce et suffisamment de jus de cuisson pour couvrir les haricots. Salez et poivrez, couvrez et faites cuire pendant 1 ½ heure au four préchauffé à 150 °C (th. 5), en remuant de temps à autre.

**4** Juste avant de servir, ajoutez la menthe, le persil et la coriandre. Garnissez de feuilles de menthe et servez avec un bol d'harissa, si vous le souhaitez.

**Pour 8 personnes**

**500 g de haricots rouges ou blancs, mis à tremper la veille et égouttés**

**2 branches de céleri, partagées en deux**

**2 feuilles de laurier**

**4 brins de persil**

**4 cuillerées à soupe d'huile d'olive**

**500 g d'oignons hachés**

**5 gousses d'ail écrasées**

**2 piments rouges frais, épépinés et hachés**

**4 poivrons rouges, épépinés et hachés**

**1 cuillerée à soupe de paprika**

**une grosse poignée de menthe, de persil et de coriandre hachés**

**sel et poivre**

**feuilles de menthe, pour garnir**

**harissa (voir page 80) pour servir (facultatif)**

Sauce :

**1 kg de tomates pelées en conserve, hachées**

**2 cuillerées à soupe d'huile d'olive**

**4 brins de persil**

**1 cuillerée à soupe de sucre**

2 aubergines débitées en morceaux
de 5 cm

2 courgettes débitées en morceaux
de 5 cm

1 poivron rouge, épépiné et coupé
en 6 morceaux dans la longueur

1 poivron jaune, épépiné et coupé
en 6 morceaux dans la longueur

1 bulbe de fenouil débité
en 6 quartiers

3 oignons rouges, extrémité de la
racine intacte, coupé en 6 quartiers

4 cuillerées à soupe d'huile d'olive

3 gousses d'ail écrasées

Tabasco (sauce au piment)

80 cl de fumet de poisson

500 g de semoule pour couscous

1 oignon débité en petits dés

sel et poivre

# couscous
# et légumes rôtis

**1** Mettez dans un plat de four les aubergines, les courgettes, les poivrons rouge et jaune, le fenouil et les oignons rouges. Ajoutez 3 cuillerées à soupe d'huile d'olive, 2 gousses d'ail, 2 ou 3 gouttes de Tabasco et du poivre. Remuez tous les ingrédients pour bien les mélanger puis faites-les rôtir environ 35 minutes dans un four préchauffé à température maximale, jusqu'à ce que les légumes soient moelleux et légèrement noircis.

**2** Pendant ce temps, portez le bouillon à ébullition dans une casserole, ajoutez la semoule, remuez, couvrez et retirez du feu. Laissez reposer jusqu'à absorption du bouillon.

**3** Chauffez le reste d'huile dans la sauteuse, ajoutez l'oignon et faites-le revenir jusqu'à ce qu'il soit moelleux et doré. Ajoutez l'ail en fin de cuisson. Incorporez l'oignon à la semoule, salez et poivrez.

**4** Servez les légumes rôtis sur le couscous.

**Pour 6 personnes**

# riz parfumé

250 g de riz basmati

graines de 4 gousses
de cardamome écrasées

une bonne pincée de filaments
de safran écrasés (facultatif)

1 bâton de cannelle

1 ½ cuillerée à café de graines
de cumin

2 feuilles de laurier

1 cuillerée à soupe d'huile d'olive

1 oignon haché

60 cl d'eau

2 cuillerées à soupe de jus
de citron

100 g de raisins secs (facultatif)

50 g de pignons de pin dorés
dans l'huile

sel et poivre

*Les recettes traditionnelles exigent généralement que l'on fasse tremper le riz au préalable, mais je trouve cela superflu avec le riz actuel. Il est cependant essentiel de le rincer à l'eau pour éliminer l'amidon qui se dépose à la surface. Le safran donne une note ensoleillée qui égaye le plat et lui apporte son inimitable parfum.*

**1** Lavez le riz jusqu'à ce que l'eau soit claire. Mettez les graines de cardamome, le safran, la cannelle, les graines de cumin et les feuilles de laurier dans une grande cocotte à fond épais et faites griller le tout 2-3 minutes à sec, jusqu'à ce que les épices exhalent leur arôme. Ajoutez l'huile et, lorsqu'elle est chaude, faites revenir l'oignon à feu doux pendant une dizaine de minutes, en remuant fréquemment – il doit être fondant et légèrement doré.

**2** Ajoutez le riz, en remuant pour bien l'enrober d'huile. Ajoutez l'eau, le jus de citron, les raisins secs, le sel et le poivre. Portez à ébullition, couvrez et laissez mijoter une quinzaine de minutes sans soulever le couvercle, jusqu'à ce que le riz soit moelleux et l'eau entièrement absorbée. Retirez du feu et laissez reposer quelques minutes sans retirer le couvercle. Incorporez les pignons et remuez à la fourchette. Servez.

**Pour 4 personnes**

# orge et pois chiches pilaf

2 cuillerées à soupe d'huile d'olive

1 oignon doux haché

4 gousses d'ail écrasées

4 carottes hachées

1 cuillerée à café de coriandre en poudre

1 cuillerée à café de cumin en poudre

1 cuillerée à café de cannelle en poudre

200 g d'orge perlé

1,2 l de bouillon de légumes

2 courgettes hachées

500 g de pois chiches cuits

50 g de gros raisins secs

125 g d'amandes effilées

une botte de persil haché

sel et poivre

*L'orge perlé et les pois chiches offrent une intéressante association de couleurs et de textures rehaussée, dans cette recette, par l'adjonction d'épices, de raisins secs et d'amandes.*

**1** Chauffez l'huile dans une sauteuse. Ajoutez l'oignon, l'ail et les carottes et faites-les revenir 5 minutes. Ajoutez la coriandre, le cumin et la cannelle, poursuivez la cuisson 1 minute tout en remuant et incorporez l'orge. Lorsque les épices sont bien mélangées, ajoutez le bouillon. Portez à ébullition, couvrez et laissez mijoter pendant quinze minutes.

**2** Ajoutez les courgettes, couvrez et laissez mijoter une dizaine de minutes.

**3** Ajoutez les pois chiches, les raisins secs, les amandes et le persil puis remuez pour bien mélanger. Salez, poivrez et poursuivez la cuisson pendant 5 minutes.

**Pour 6 personnes**

# riz et lentilles pilaf

1 petite aubergine de 250 g environ, débitée en dés

2 cuill. à soupe d'huile d'olive

1 oignon finement haché

4 gousses d'ail écrasées

2 carottes hachées

1 cuillerée à café de gingembre en poudre

1 cuillerée à café de paprika

1 cuillerée à café de coriandre

1 cuillerée à café de cumin en poudre

250 g de lentilles rouges

250 g de riz blanc long

1 l de bouillon de légumes

250 g d'épinards ciselés

2 cuillerées à soupe de graines de sésame légèrement grillées

sel et poivre

*Au Maroc, en Algérie et en Tunisie, on a coutume de cuisiner dans une seule marmite. C'est une pratique à laquelle j'adhère, en particulier lorsqu'elle permet de préparer des mets aussi savoureux que celui-ci.*

**1** Disposez les aubergines en plusieurs couches dans une passoire, parsemez chaque couche de sel. Laissez reposer 1 heure puis rincez, égouttez sur du papier absorbant.

**2** Chauffez l'huile dans une grande sauteuse. Ajoutez l'oignon, l'ail, les carottes et l'aubergine. Faites revenir le tout 5 minutes en remuant de temps en temps.

**3** Incorporez gingembre, paprika, coriandre, cumin et poursuivez la cuisson pendant 1 minute en remuant. Ajoutez les lentilles et le riz. Lorsque tout est mélangé, ajoutez le bouillon. Portez à ébullition, couvrez et laissez mijoter 30-35 minutes en remuant de temps en temps, jusqu'à ce que le riz et les lentilles soient moelleux et le bouillon absorbé.

**4** Ajoutez les épinards puis poursuivez la cuisson 2 minutes. Salez, poivrez et parsemez de graines de sésame.

**Pour 4 personnes**

# légumes et salades

Le Maroc produit une remarquable diversité de légumes. Vous trouverez des navets tendres, de jeunes aubergines luisantes, des poivrons rouge vif, des tomates d'un goût divin, des fèves délicieuses, des artichauts et des topinambours, du céleri et des choux-fleurs, et bien sûr de l'ail à foison. Tous arborent leurs couleurs éclatantes sur les étals des souks et en bordure des routes de campagne. Leur extrême fraîcheur les rend tellement appétissants qu'on meurt d'envie de tout acheter. Cuisinés avec maestria, ils prêtent leur saveur à une infinie variété de mets et fournissent également une myriade de textures d'une étonnante richesse.

# navets glacés au miel

*Les navets marocains, très tendres, ont une saveur douce, parfaitement exquise.*
*Cette recette d'une grande simplicité contribue à rehausser leurs qualités intrinsèques.*

800 g de jeunes navets

50 g de beurre doux

2 cuillerées à soupe de miel liquide

2 cuillerées à soupe d'amandes effilées grillées

1 ½ cuillerée à soupe de coriandre fraîche hachée

sel et poivre

**1** Faites bouillir les navets une dizaine de minutes dans une casserole remplie d'eau salée ; ils doivent être tendres mais encore fermes sous la dent. Égouttez.

**2** Faites fondre le beurre avec le miel dans une sauteuse. Ajoutez les navets et faites-les revenir, en remuant, pendant 3-5 minutes, jusqu'à ce qu'ils soient brillants.

**3** Incorporez les amandes, puis transférez dans un plat de service chaud. Salez et poivrez. Arrosez de jus de cuisson et parsemez de coriandre.

**Pour 4-6 personnes**

# sauté de pommes de terre à l'harissa, poivrons-tomates

3 cuillerées à soupe d'huile d'olive

800 g de pommes de terre débitées en morceaux

1 gros oignon émincé

2 poivrons rouges, épépinés et émincés

1 poivron jaune, épépiné et émincé

4 tomates bien mûres coupées en morceaux

3 gousses d'ail écrasées

3-4 cuillerées à café d'harissa (voir page 80)

sel

**1** Chauffez 1 cuillerée à soupe d'huile dans une grande sauteuse. Ajoutez les pommes de terre, remuez pour bien les enrober d'huile, couvrez et faites-les sauter à feu doux une quinzaine de minutes, en agitant la poêle de temps en temps.

**2** Ajoutez le reste d'huile, mettez l'oignon et les poivrons rouges et jaune, augmentez la flamme et faites-les rissoler, sans couvrir, une dizaine de minutes en remuant fréquemment.

**3** Ajoutez les tomates et l'ail et poursuivez la cuisson 4 minutes environ. Ajoutez l'harissa, salez, poivrez et servez.

**Pour 4 personnes**

# sauté d'épinards

*Cette salade se prépare habituellement avec de la mauve, une plante herbacée qui pousse à l'état sauvage dans les champs. On la cueille librement et il est fréquent de voir des enfants en vendre de grosses brassées sur le bord des routes.*

**1** Chauffez la moitié de l'huile d'olive dans une grande sauteuse ou un wok. Ajoutez les pignons ou les amandes et faites-les dorer en remuant fréquemment. À l'aide d'une écumoire, transférez les pignons sur du papier absorbant pour les égoutter.

**2** Ajoutez la moitié de l'oignon et de l'ail et faites-les revenir jusqu'à ce qu'ils deviennent fondants. Ajoutez la moitié des épinards, faites-les cuire 4-5 minutes à feu vif : les feuilles doivent commencer à se flétrir. Transférez les épinards dans une passoire chaude.

**3** Versez le reste d'huile dans la poêle. Lorsqu'elle est chaude, faites revenir le reste d'oignon, d'ail et d'épinards. Transférez la première fournée d'épinards dans un plat de service chaud avant d'égoutter la seconde fournée dans la passoire.

**4** Pendant ce temps-là, fouettez ensemble l'huile d'olive, le jus et le zeste d'orange. Assaisonnez de noix muscade fraîchement râpée, de sel et de poivre.

**5** Transférez le reste des épinards dans le plat de service puist mélangez-les à la sauce. Parsemez de pignons et servez.

**Pour 4 personnes**

**4 cuillerées à soupe d'huile d'olive**

**50 g de pignons de pin ou d'amandes effilées**

**1 gros oignon finement haché**

**2 gousses d'ail écrasées**

**1 kg de jeunes épinards**

**1 cuillerée à soupe d'huile d'olive vierge**

**jus d'une orange**

**zeste râpé d'une demi-orange**

**noix muscade fraîchement râpée**

**sel et poivre**

# aubergines farcies

*À l'image de nos grand-mères qui se moquent gentiment de la «nouvelle cuisine»,*
*les Marocains n'apprécieront peut-être pas que ce plat se réclame de la cuisine marocaine,*
*ce qui est pourtant le cas. Les aubergines se servent en entrée, en accompagnement*
*de viandes ou de volailles grillées, ou bien encore pour un déjeuner ou un dîner léger.*

**1** Incisez la chair des aubergines en profondeur sans abîmer la peau. Badigeonnez-les d'huile puis disposez-les, côté peau dessous, sur une plaque de four. Faites-les cuire pendant 20-30 minutes au four préchauffé à 200 °C (th. 6-7), jusqu'à ce que la chair soit moelleuse.

**2** Pendant ce temps, mettez la semoule dans un plat à feu, arrosez d'eau bouillante et laissez gonfler 10-15 minutes.

**3** Pour préparer la sauce, mélangez tous les ingrédients, excepté la garniture, dans un bol. Couvrez et réfrigérez.

**4** Retirez la chair des aubergines et hachez-la finement. Mélangez-la à la fourchette avec la semoule, en ajoutant les abricots secs, les oignons nouveaux, la tomate, la menthe et les pignons. Ajoutez le jus de citron, salez et poivrez.

**5** Garnissez les aubergines du mélange au couscous puis poursuivez la cuisson au four pendant une quinzaine de minutes. Décorez la sauce d'un brin de coriandre et servez avec les aubergines.

**Pour 4 personnes**

2 aubergines de 300 g chacune environ, coupées en deux dans la longueur

huile d'olive

50 g de semoule pour couscous

15 cl d'eau bouillante

25 g d'abricots secs hachés

4 oignons nouveaux hachés

1 grosse tomate mûrie au soleil, épépinée et hachée

feuilles de 8 brins de menthe hachées

1 cuillerée à soupe de pignons de pin hachés

1 cuillerée à soupe de jus de citron

sel et poivre

Sauce :

1 gousse d'ail écrasée

zeste râpé et jus d'un citron vert

1 cm de rhizome de gingembre frais, pelé et râpé

2 cuillerées à soupe de coriandre fraîche hachée

15 cl de yaourt à la grecque

brins de coriandre, pour garnir

# aubergines rôties aux poivrons rouges et amandes

*Servi chaud ou froid, ce plat accompagne à merveille les viandes, les volailles et les poissons rôtis ou grillés. Il peut également faire partie d'un buffet d'entrées.*

**1** Mettez les tranches d'aubergines sur une plaque de four. Badigeonnez d'huile d'olive, parsemez de thym et de poivre gris du moulin. Ajoutez les quartiers de poivrons.

**2** Faites rôtir les légumes pendant une dizaine de minutes dans un four préchauffé à 200 °C (th. 6-7). Mélangez les amandes ou les pignons à l'huile d'olive et mettez-les sur la plaque de four. Poursuivez la cuisson pendant 5-10 minutes jusqu'à ce que les aubergines soient moelleuses.

**3** Transférez les légumes et les amandes dans un plat de service puis parsemez de feuilles de menthe et de poivre du moulin. Servez chaud ou laissez reposer toute une nuit dans un endroit frais, autre que le réfrigérateur, pour que les épices exhalent leur parfum.

**Pour 2-4 personnes**

2 aubergines coupées en tranches de 1 cm d'épaisseur

huile d'olive

feuilles de thym

2 poivrons rouges, épépinés et coupés en quatre

2 cuillerées à soupe d'amandes effilées ou de pignons de pin

poivre

feuilles de menthes torsadées, pour garnir

# tajine de légumes

*À l'instar du ragoût, le tajine s'accommode de presque tous les légumes. Certaines combinaisons sont plus savoureuses que d'autres ; celle-ci est vraiment excellente.*

**1** Chauffez l'huile dans une sauteuse. Ajoutez l'oignon, l'ail, le céleri et les carottes et faites-les dorer à feu doux. Ajoutez l'harissa et poursuivez la cuisson en remuant pendant 1 minute.

**2** Ajoutez les aubergines, les tomates et l'eau. Portez à ébullition et laissez mijoter pendant environ 25 minutes.

**3** Incorporez les gombos, couvrez et faites cuire le tout 15-20 minutes, jusqu'à ce que les gombos soient moelleux.

**4** Si nécessaire, ôtez le couvercle en fin de cuisson pour que la sauce épaississe un peu. Salez à votre convenance. Servez garni de coriandre hachée.

**Pour 4 personnes**

**1 cuillerée à soupe d'huile d'olive**

**1 oignon rouge coupé en quartiers**

**2 gousses d'ail écrasées**

**3 branches de céleri émincées**

**3 carottes émincées**

**2 cuillerées à café d'harissa**

**600-700 g environ de petites aubergines hachées**

**2 grosses tomates hachées**

**25 cl d'eau**

**125 g de petits gombos nettoyés**

**sel**

**coriandre fraîche hachée**

# tajine de patates douces et petits pois

*J'ai légèrement modifié la recette tunisienne originale afin que la combinaison de jus de citron, de miel, de cannelle et de piments s'associe subtilement au goût des patates douces. Mais si vous préférez une saveur plus corsée, augmentez les quantités.*

**1** Mélangez 1 cuillerée à soupe de jus de citron avec le miel, la cannelle et le piment en poudre. Réservez.

**2** Chauffez l'huile dans une grande sauteuse, ajoutez les patates douces et faites-les cuire une dizaine de minutes en remuant de temps en temps. Ajoutez l'oignon, l'ail, le sel, le reste de jus de citron et l'eau. Poursuivez la cuisson 5 minutes en remuant de temps en temps jusqu'à ce que les oignons commencent à dorer. Ajoutez le miel épicé, laissez cuire 2 minutes et servez.

**Pour 4 personnes**

**4 cuillerées à soupe de jus de citron**

**3-4 cuillerées à café de miel liquide**

**1 cuillerée à café de cannelle en poudre**

**une pincée de piment en poudre**

**2 cuillerées à soupe d'huile d'olive**

**800 g de patates douces débitées en dés de 1 cm**

**1 oignon finement haché**

**2 gousses d'ail finement hachées**

**4 cuillerées à soupe d'eau**

**sel**

# salade de carottes
# à la cannelle
# et au citron

*J'ai perdu la trace des diverses variantes nord-africaines de la salade de carottes que j'ai eu l'occasion de savourer ou de préparer, ainsi que des innombrables recettes des livres et des magazines. Certaines utilisent des carottes cuites, d'autres des carottes crues, émincées ou râpées. Toutefois, la saveur douce est une caractéristique constante. Elles sont parfumées au jus et au zeste d'orange, à l'eau de fleur d'oranger et à l'eau de rose ainsi qu'aux épices typiquement marocaines telles que la cannelle, le gingembre, la cardamome et le cumin. Les raisins ou les abricots secs sont souvent de la partie, tout comme les amandes.*

**1** Mettez les carottes et les raisins secs dans un saladier de service.

**2** Battez ensemble l'huile, le jus de citron, la cannelle et le miel. Salez et poivrez à votre convenance puis arrosez les carottes et les raisins secs de cette sauce. Remuez pour bien mélanger.

**3** Parsemez d'amandes et servez.

**Pour 4 personnes**

**500 g de carottes nouvelles râpées**

**50 g de raisins secs**

**10 cl d'huile d'olive vierge**

**jus d'un citron**

**1 cuillerée à café de cannelle en poudre**

**1 cuillerée à café de miel liquide**

**sel et poivre**

**amandes effilées légèrement grillées, pour garnir**

# salade de radis

*Les radis offrent une saveur piquante très appréciée au Maroc. Ces légumes croquants se grignotent avant ou après un repas, pour purifier le palais. Les rondelles de radis sont souvent combinées aux quartiers d'orange, un assortiment qui remporte un vif succès dans un buffet d'entrées. J'aime aussi les proposer en milieu de repas, avec ou après un mets particulièrement riche.*

**1** Mélangez les radis et les oranges.

**2** Mélangez le jus de citron avec du sucre, de l'eau de fleur d'oranger si vous en utilisez, et du sel. Remuez jusqu'à ce que le sucre et le sel soient dissous. Arrosez la salade de cette sauce et remuez.

**3** Servez la salade parsemée de cannelle ou de coriandre hachée.

**Pour 4-6 personnes**

**2-3 bottes de radis nettoyés et émincés**

**2 oranges pelées et détaillées en quartiers**

**2-3 cuillerées à soupe de jus de citron**

**sucre semoule, à volonté**

**eau de fleur d'oranger (facultatif)**

**sel**

**cannelle en poudre ou coriandre hachée, pour servir**

# salade de légumes rôtis

*La cuisson au barbecue ou au feu de bois n'est pas uniquement réservée à la viande ou à la volaille ; en effet, elle rehausse merveilleusement la saveur des légumes ainsi que leur douceur naturelle. Si possible, préparez la salade un jour à l'avance et conservez-la, couverte, dans un endroit frais (mais non au réfrigérateur). Traditionnellement, cette salade se sert en entrée mais elle peut également devenir un plat principal, en particulier avec des œufs durs, des citrons confits et peut-être du thon.*

**1** Mettez les aubergines sur une plaque de four et faites-les griller une vingtaine de minutes dans un four préchauffé à 220 °C (th. 7).

**2** Ajoutez les poivrons, l'ail et les tomates ainsi que 2 cuillerées à soupe d'huile et poursuivez la cuisson 20 minutes de plus. Retirez les légumes du four et laissez-les refroidir quelque temps.

**3** Pelez et hachez grossièrement les aubergines ; pelez et émincez les poivrons, laissez l'ail entier (les gousses d'ail rôties sont délicieuses écrasées dans le jus qui sert à assaisonner la salade).

**4** Remettez les légumes sur la plaque de four, ajoutez le piment, les graines de carvi, le jus de citron et les olives. Salez puis faites cuire le tout 10-15 minutes, jusqu'à ce que le jus soit évaporé.

**5** Retirez les légumes du four et laissez refroidir. Transférez la salade dans un plat de service et parsemez de menthe. Servez à température ambiante.

**Pour 6 personnes**

500 g d'aubergines

4 poivrons rouges coupés en deux et épépinés

6 gousses d'ail non pelées

6 tomates

4 cuillerées à soupe d'huile d'olive

1 piment rouge frais, épépiné et finement haché

½ cuillerée à café de graines de carvi

2 cuillerées à soupe de jus de citron

une petite poignée d'olives noires dénoyautées

sel

2 cuillerées à soupe de menthe hachée, pour garnir

# salade de tomates et poivrons grillés

3 gros poivrons rouges

4 tomates mûries au soleil

4 gousses d'ail entières, avec leur peau

2 cuillerées à soupe d'huile d'olive vierge

une petite poignée de persil et de coriandre hachés, pour servir (facultatif)

sel et poivre

**1** Faites cuire les poivrons, les tomates et l'ail sous un gril préchauffé, en les retournant de temps en temps, jusqu'à ce que la peau des tomates et des poivrons soit cloquée et noircie, et l'ail moelleux.

**2** Pelez les poivrons et les tomates, coupez-les en quartiers, retirez le cœur et les pépins. Disposez-les sur un plat de service.

**3** Pelez l'ail puis écrasez-le dans l'huile. Salez, poivrez puis garnissez les tomates et les poivrons de cette sauce. Laissez mariner toute une nuit dans un endroit frais mais non au réfrigérateur. Parsemez d'herbes juste avant de servir.

**Pour 4 personnes**

# salade de tomates et concombre à la menthe

½ gros concombre pelé et coupé en deux dans la longueur

4 tomates mûries au soleil, émincées

2 oignons nouveaux finement hachés

1 cuillerée à soupe de jus de citron

2 cuillerées à soupe d'huile d'olive vierge extra

une pincée de sucre

2 cuillerées à soupe de feuilles de menthe hachées

1 cuillerée à café d'écorce de citron confit hachée (voir page 102)

sel et poivre

*Dans cette recette, les saveurs rafraîchissantes de la menthe et du citron viennent égayer l'assortiment classique concombre-tomates et composent une salade idéale à servir en entrée ou en accompagnement de viandes rôties et grillées.*

**1** Évidez le concombre et émincez-le. Disposez-le sur un plat de service avec les tomates et parsemez d'oignons.

**2** Battez ensemble le jus de citron et l'huile d'olive, assaisonnez de sucre et de sel. Arrosez la salade de cette sauce.

**3** Éparpillez les feuilles de menthe et le zeste de citron sur la salade et parsemez de poivre gris du moulin. Couvrez et réfrigérez un petit moment avant de servir.

**Pour 4 personnes**

# salade de pois chiches chaude

*Il est préférable de réchauffer les pois chiches dans la sauce afin qu'ils s'imprègnent des autres saveurs.*

1 Chauffez 1 cuillerée à soupe d'huile dans une sauteuse, ajoutez l'oignon, l'ail et le gingembre et faites-les revenir 5-7 minutes à feu doux, jusqu'à ce qu'ils soient moelleux.

2 Ajoutez les pois chiches, les paillettes de piments séchés et le zeste de citron, remuez 30 secondes et ajoutez le jus de citron. Laissez bouillonner le mélange jusqu'à ce que le liquide soit presque entièrement évaporé. Ajoutez la coriandre, salez et poivrez.

3 Transférez les pois chiches dans un saladier de service chaud et arrosez du reste d'huile. Parsemez de cumin en poudre et de paprika.

**Pour 4 personnes**

5 cuillerées à soupe d'huile d'olive vierge

1 oignon rouge finement haché

2 gousses d'ail écrasées

4 cm de rhizome de gingembre frais, râpé

800 g de pois chiches en boîte, égouttés

une pincée de paillettes de piments séchés

jus et zeste finement râpé d'un citron et demi

feuilles d'une botte de coriandre, hachées

sel et poivre

mélange de cumin et de paprika en poudre, pour servir

# brochettes de légumes

1 Mettez les morceaux d'aubergine dans une passoire et parsemez de sel. Laissez reposer au moins 1 heure. Rincez et essuyez.

2 Pendant ce temps, écrasez les graines de cardamome avec une gousse d'ail et une pincée de sel dans un grand saladier, puis mélangez avec le curcuma et le jus de citron. Incorporez 4 cuillerées à soupe d'huile, poivrez et battez pour bien mélanger. Ajoutez l'oignon frais et les aubergines puis remuez pour bien les enrober d'huile aromatisée.

3 Écrasez la deuxième gousse d'ail avec deux feuilles de laurier et une pincée de sel. Ajoutez le reste d'huile, la coriandre, poivrez. Enrobez de cette sauce les poivrons rouges et les oignons. Laissez reposer au moins 1 heure dans un endroit frais.

4 Enfilez les morceaux d'aubergine, de poivron et d'oignon sur des brochettes métalliques, en ajoutant les feuilles de laurier entières.

5 Faites griller les brochettes 8-10 minutes sur un barbecue chaud ou sous un gril, en les retournant de temps en temps. Les légumes doivent être moelleux et dorés.

**Pour 4 personnes**

2 aubergines, détaillées en dés de 2-3 cm

graines de 12 gousses de cardamome

2 gousses d'ail

½ cuillerée à café de curcuma en poudre

jus d'un demi-citron

6 cuillerées à soupe d'huile d'olive

1 oignon frais finement haché

14 feuilles de laurier

2 cuillerées à soupe de coriandre fraîche hachée

2 poivrons rouges, épépinés et détaillés en morceaux

2 gros oignons rouges coupés en huit

sel et poivre

# salade d'orange aux olives

*Pour cette recette, il est recommandé de remplacer les oranges à la saveur douce par d'autres au goût vif et prononcé, mieux adaptées. Choisissez des olives grosses et charnues.*

**1** Chauffez une petite sauteuse, ajoutez les graines de cumin et faites-les griller jusqu'à exhalaison de leur arôme. Versez-les dans un moulin et réduisez-les en poudre.

**2** Retirez le zeste de l'une des oranges avec un couteau et réservez. Pelez les oranges en veillant à retirer toute la peau blanche. Au-dessus d'un saladier, détaillez les oranges en quartiers et jetez les pépins. Mettez les oranges et les olives dans le saladier.

**3** Battez ensemble, ou agitez, l'huile, l'harissa et le cumin grillé. Salez puis arrosez les oranges et les olives de cette sauce et remuez.

**4** Disposez la salade dans un saladier de service. Ajoutez le mélange olives-oranges et garnissez de zeste d'orange et de brins d'aneth avant de servir.

**Pour 4 personnes**

**2 cuillerées à café de graines de cumin**

**4 grosses oranges**

**125 g d'olives vertes**

**5 cl d'huile d'olive vierge**

**1 cuillerée à soupe d'harissa (voir page 80)**

**1 laitue croquante (romaine), détaillée en morceaux de la taille d'une bouchée**

**sel**

**brins d'aneth, pour garnir**

# pâtisseries, desserts

# et thés

Les repas se terminent souvent par des fruits frais, qui composent un dessert économique, succulent et copieusement servi. On trouve également du gâteau de riz (voir page 141) ou du flan à l'eau de rose (voir page 140). Les pâtisseries, riches et sucrées, se consomment normalement avec des verres de thé à n'importe quelle heure du jour. Souvent offertes aux invités, elles sont servies par plateaux entiers à l'occasion de fêtes ou de réunions de famille ; la plupart des Marocains les achètent maintenant dans le commerce.

# cornes de gazelle

200 g de farine

2 cuillerées à soupe d'huile
de tournesol

15-20 cl de mélange d'eau de fleur
d'oranger et d'eau

sucre glace, pour saupoudrer


Pâte d'amandes :

200 g d'amandes mondées,
moulues

100 g de sucre semoule

½ cuillerée à café de cannelle
en poudre

environ 2 cuillerées à soupe d'eau
de fleur d'oranger

*Ces pâtisseries incurvées en forme de cornes – d'où leur nom – sont très répandues. Il en existe différentes versions au Maroc mais aussi dans les autres pays d'Afrique du Nord.*

**1** Pour préparer la pâte d'amandes, mélangez tous les ingrédients puis pétrissez soigneusement. La pâte vous paraîtra sèche au premier abord mais à mesure que la chaleur de vos mains libère l'huile des amandes, le mélange devient souple et plus homogène. Réservez.

**2** Tamisez la farine dans un saladier. Mélangez l'huile et juste assez d'eau de fleur d'oranger et d'eau pour obtenir une pâte souple. Pétrissez-la pour la rendre élastique.

**3** Sur un plan de travail légèrement fariné, abaissez finement la pâte et découpez-la en bandes de 8 cm de large. Formez de petites boules de pâte d'amandes de la grosseur d'une noix et modelez des cigares de 8 cm de long. Effilez les extrémités. Disposez-les dans la longueur en bordure des bandes de pâte, à environ 3 cm d'intervalle.

**4** Mouillez les extrémités de la pâte et repliez-les pour enfermer la farce. Pressez les extrémités ensemble. Utilisez une videlle pour couper la pâte. Pressez ensemble les extrémités coupées afin de bien sceller chaque gâteau.

**5** Incurvez délicatement les gâteaux pour leur donner une forme de croissant ou de corne et disposez-les sur une plaque de four. Faites-les cuire 20-25 minutes au four préchauffé à 180 °C (th. 6) jusqu'à ce qu'ils soient légèrement dorés. Transférez-les sur une grille de four pour les faire refroidir. Saupoudrez de sucre glace avant de servir.

**Pour 16 cornes de gazelle environ**

# biscuits aux amandes

2 œufs

200 g de sucre glace

2 cuillerées à café de levure chimique

400 g d'amandes en poudre

zeste râpé d'un demi-citron

eau de fleur d'oranger ou d'eau de rose, à volonté

huile

*Ces riches biscuits à l'aspect craquelé (voir photographie page 139) sont très appréciés ; ils sont délicieux servis avec du café et des desserts fruités ou crémeux.*

1 Cassez un œuf entier et un jaune dans un saladier puis incorporez le sucre et la levure en battant pour bien mélanger. Ajoutez les amandes en poudre, le zeste de citron, l'eau de fleur d'oranger et l'eau de rose. Pétrissez soigneusement cette pâte ; si nécessaire, ajoutez un blanc d'œuf.

2 Graissez vos mains et façonnez la pâte en boules de la grosseur d'une noix. Saupoudrez une assiette de sucre glace. Aplatissez les boules sur l'assiette et enrobez-les de sucre.

3 Disposez les gâteaux sur une plaque de four graissée et faites-les cuire une quinzaine de minutes au four préchauffé à 180 °C (th. 6), jusqu'à ce qu'ils soient dorés. Transférez sur une grille pour les faire refroidir. Conservez-les dans un récipient hermétique.

**Pour 30 biscuits**

# flan à l'eau de rose

5 cuillerées à soupe de maïzena

3-5 cuillerées à soupe de sucre

80 cl de lait entier

2 cuillerées à soupe d'eau de rose

½ cuillerée à café de zeste de citron râpé (facultatif)

50 g d'amandes et de pistaches décortiquées, hachées

*La consistance de ce flan délicieux fait penser à la bouillie que l'on donne aux nourrissons – légère, douce et pas tout à fait gélifiée. L'eau de rose lui apporte un parfum raffiné qui le transforme en un excellent dessert pour adulte.*

1 Mélangez la maïzena, un peu de sucre et quelques cuillerées de lait pour obtenir une pâte. Portez le reste de lait à ébullition dans une casserole de préférence antiadhésive, puis incorporez-en un peu à la pâte. Mettez la pâte dans la casserole et laissez chauffer à feu doux en remuant jusqu'à obtention d'une pâte onctueuse assez épaisse.

2 Retirez la casserole de la flamme puis incorporez l'eau de rose et le zeste de citron. Ajoutez du sucre si besoin. Versez la pâte dans un grand plat de service ou dans des ramequins individuels et laissez reposer jusqu'à formation d'une peau en surface.

3 Parsemez d'amandes et de pistaches puis laissez refroidir. Réfrigérez avant de servir.

**Pour 4-6 personnes**

# serpentin de pâte d'amandes

1 Mélangez les amandes en poudre et le sucre glace. Incorporez le blanc d'œuf, l'arôme d'amande amère et l'eau de rose, puis travaillez le tout jusqu'à obtention d'une pâte. Divisez en trois parts égales. Saupoudrez le plan de travail de sucre glace puis modelez chaque morceau de pâte d'amandes en un «cigare» de 48 cm de long et de 1 cm d'épaisseur.

2 Badigeonnez d'huile une feuille de brick, couvrez-la d'une seconde feuille et badigeonnez-la également d'huile. Couvrez la pâte restante d'un torchon humide. Disposez un cigare de pâte d'amandes le long d'un bord de la feuille de brick, environ à 2,5 cm. Enroulez la feuille de brick autour de la pâte d'amandes. Disposez-la sur un moule rond à fond amovible de 20 cm de diamètre en décrivant une spirale. Répétez l'opération avec le second «cigare» de pâte d'amandes. Collez le second serpentin à l'extrémité du premier, continuez la spirale puis faites de même avec la troisième.

3 Battez le jaune d'œuf avec une pincée de cannelle et badigeonnez le dessus du serpentin de ce mélange. Faites cuire le serpentin pendant 30 minutes au four préchauffé à 180 °C (th. 6), jusqu'à ce qu'il soit doré et croustillant sur le dessus.

4 Retournez délicatement le serpentin et enfournez-le à nouveau pendant une dizaine de minutes pour que le dessous soit doré. Retournez-le sur une grille et laissez-le refroidir. Saupoudrez de sucre glace et de cannelle en poudre. Servez tiède, découpé en petites parts.

**Pour 12 parts**

250 g d'amandes en poudre

175 g de sucre glace

1 œuf, blanc et jaune séparés

quelques gouttes d'arôme d'amande amère

1 ½ cuillerée à soupe d'eau de rose

sucre glace, pour saupoudrer

6 feuilles de brick

4 cuillerées à soupe d'huile d'olive

sucre glace et cannelle en poudre, pour décorer

# gâteau de riz

1 Chauffez le lait dans une casserole à fond épais, de préférence antiadhésive. Versez le riz en pluie et portez à ébullition en remuant. Réduisez la flamme et poursuivez la cuisson à feu très doux, en remuant de temps en temps, jusqu'à obtention d'une texture épaisse et veloutée ; cela peut durer environ 2 heures. Utilisez un diffuseur de chaleur si nécessaire pour empêcher le riz de cuire trop rapidement ou d'adhérer au fond. Incorporez le sucre et l'eau de fleur d'oranger (ou l'eau de rose).

2 Versez le riz au lait dans un plat de service ou dans des ramequins individuels. Servez chaud ou froid, parsemé de pistaches, d'amandes et de violettes ou de roses confites.

**Pour 4 personnes**

environ 1 l de lait

50 g de riz blanc rond, rincé et égoutté

50 g de sucre

1-1 ½ cuillerée à soupe d'eau de fleur d'oranger ou d'eau de rose

pistaches, amandes et violettes ou roses confites, pour décorer

# thé à la menthe

*Le thé à la menthe fait partie intégrante de l'hospitalité marocaine. Un verre fumant de ce thé odorant, sucré et léger s'offre en signe de bienvenue et, pour le Marocain, même le plus pauvre, c'est un honneur que d'offrir cette boisson à quiconque entre dans sa maison. Le thé à la menthe est aussi un moyen de faciliter de délicates négociations commerciales. Le thé a fait son entrée au Maroc en 1854 quand, lors de la guerre de Crimée, le blocus de la Baltique obligea les négociants britanniques à trouver de nouveaux marchés pour écouler leur marchandise ; ils déposèrent leur stock à Tanger et à Mogador (aujourd'hui Essaouira). La menthe doit être de la menthe verte et traditionnellement, le sucre provient d'un pain de sucre.*

**1** Rincez une théière à l'eau bouillante. Mettez le thé et la menthe dans la théière. Portez l'eau à ébullition et versez-la immédiatement dans la théière. Laissez infuser 5 minutes.

**2** Passez le thé dans des tasses chaudes (ou des verres). Ajoutez du sucre à volonté (rappelez-vous que le thé est servi très sucré au Maroc), décorez chaque verre d'une rondelle de citron et, si vous le souhaitez, d'un brin de menthe.

**Pour 4 personnes**

**Variante : Thé à la menthe glacé**
Mettez le sucre dans la théière avec le thé et la menthe. Une fois le thé infusé, passez-le sur de la glace pilée afin qu'il refroidisse rapidement. Servez dans des verres froids avec des glaçons ; décorez de la même façon.

**2 cuillerées à café de thé de Chine vert**

**4 cuillerées à soupe de menthe hachée, de préférence de la menthe verte**

**1 l d'eau**

**sucre, à volonté**

Pour décorer :

**4 rondelles de citron**

**4 brins de menthe**

# thé au safran

*Ce thé est une spécialité d'une petite ville du sud marocain, Taliouine, la capitale du safran. Les montagnes environnantes composent un tableau splendide au moment de la floraison des multiples rangs de crocus violets.*

**1** Ébouillantez une théière, mettez le thé et le safran à l'intérieur.

**2** Portez l'eau à ébullition et versez-la immédiatement dans la théière. Laissez reposer 5 minutes.

**3** Passez le thé dans des tasses ou des verres chauds. Sucrez à volonté et décorez chaque verre d'une rondelle de citron et d'un brin de menthe.

**Pour 4 personnes**

**2 cuillerées à café de thé de Chine vert**

**1 cuillerée à café de filaments de safran**

**1 l d'eau**

**sucre, à volonté**

Pour décorer :

**4 rondelles de citron (facultatif)**

**4 brins de menthe**